こちら葛飾区亀有公園前派出所⑱

こちら葛飾区
亀有公園前
派出所⑱
目次

両さんの留学!?の巻

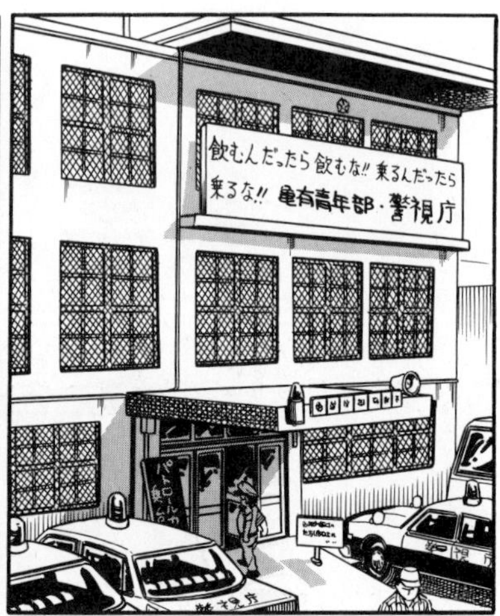
飲むんだったら飲むな!! 乗るんだったら乗るな!! 亀有青年部・警視庁

署長室

海外研修にうちの署から……

ニューヨーク市警から連絡がはいってな…研修旅行だ
今の時期に研修とは…いったいだれを…?

きみの部下である両津くんをぜひ招待したいといってきた
パラッ

ばかな!
どうして日本警察の恥部のあの男を!

なんでも
去年
日本警察を
取材に きた
新聞記者が
両津くんを
気に
いったらしい
そこで
この話が
まとまった
とのことだ

署長!
両津を
アメリカなどに
いかせたら
どんな事態に
なるか想像つく
でしょう
十分
しっている
だから
悩んで体重も
へった……

じゃあ ほかに
幹部候補生の
エリートを
数名いっしょに
同行させ
監視させれば
……
それが
両津くんに
ぜひ ひとりで
きてほしいと
いっているんだ

えっ
あいつ
ひとりで
アメリカ
に!
無理ですよ
方向オンチで
金銭にルーズ!
英語もダメ!

そこを なんとか
大原くんの
力で たのむ
署を
救ってくれ!

花火を
背負って
火事の中へ
とびこむ
ような気持ち
ですな……

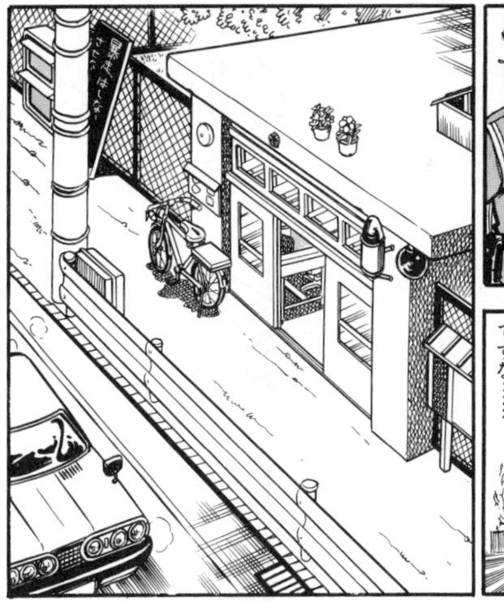

2気筒
2サイクルの
かっとび
マシーン

あいた！

くそっ じゃま しやがって どけよ バカ！
外で やって くださいよ そんなの！

そんなの とは なんだ スーパー マシーン だぞ！
子どもの オモチャ でしょう

だれが 子どもだけ 使うものと きめた！ 法律で きまってんの かよ！
だって 子どもの オモチャと かいて……

おとなの オモチャと かくと 誤解されるから 子どもの オモチャとかいて あるだけだろう おい！
こんな 楽しいもの おとなが 遊ばぬ手は ない

オモチャが 商品化される 苦労を しってるのかよ おまえ！
いいえ 別に 興味が ないから…

たとえば
このハナクソみたいに
小さいオモチャでも
いい年した
おとなが額に汗して
実験に実験を
かさね
つくり
あげた作品だ
ある時には
社長
みずから　実験に
参加し……
つい
職務を
忘れ
のめりこんで
しまう時も
あるかもしれん…
そのような
苦労して
うまれた
作品に対し
そんなのとは
なんだ！
日本の
オモチャは
今や世界一の
レベル
だぞ！
ずいぶん
オモチャに対し
ポリシーが
ありますね
先輩は…
オモチャ歴30数年
人は　私を
生きたGージョーとか
リカちゃんのお友だち
わたるくんの
かくし父親と
よぶ……
戦後の
オモチャ史は
わしが
いなくては
かたれん
昔は
アメリカ製の
オモチャが
多かったが
今は　逆だぞ
ジャパーン
オモチャイズ
ナンバー
ワンだ！
製品が
よくても
おとなが
子どもと
同じので
遊ぶのは
ちょっと
変ですよ

だから　わしら
アダルト族は
ノーマルでは
使わず改造し
オリジナリティ
ーを　だすのだ
あまり
かわらない
ように
思うけど

よし
みせてやる
よーく
みてろよ

ここは
派出所
なんだよ
両津くん
そういう
ことは
デパートの
オモチャ
売り場で
やりなさい

部長
いらしてたん
ですか!
お人が
悪い!

両津の
顔みたら
ますます
頭　いたく
なってきた!

どうしたん
です?
また
糖尿でも
悪くなり
ましたか?
そのほうが
まだ
よかったよ

今日
署長に
おまえを
アメリカに
いかせて
くれと
たのまれて
きたよ
アメリカ
!?

なんで
アメリカへ⁉
戦争でも
始めるん
ですかい⁉
その
引き金に
ならんよう
気を つけて
ほしいんだよ

どうしたん
です？
部長
研修生
として
招待
されたんだ
どういう気か
しらんがな

テキサス州の
新聞記者
ジョージ
リァフェンダーで
おまえの友人と
いってた……
えっ
外人に
しりあいは
いないよ…

あっ
去年の冬きた
あいつだな…

そういえば
先輩を
サムライとか
カミカゼ男と
いって絶賛して
ましたからね
とんでも
ないやつに
すかれた
もんだ

予算の関係で
おまえひとりで
きてほしいとの
ことだ
えーっ
ひとり
で！

ひとりてえと
案内人か
ハタをもって
つれていって
くれる人が
いないの？
そうだ
ひとりで
いってくる
んだ

アメリカって
日本を
負かした
国でしょ
そんな
ところ
ひとりで
ちゃんと
説明して
やる…
あわてるな！

えらいことに
なりましたね
部長！
あいつに
物を教えるのは
チンパンジーに
ジャズダンスを
教えるより
むずかしいぞ

まず
基本から
いくぞ
いいな！
はい
どっから
でも！

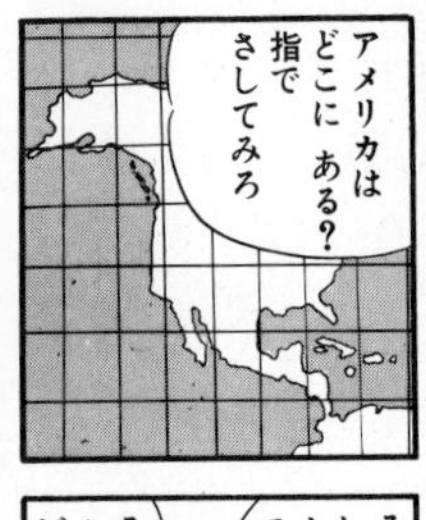
アメリカは
どこに ある？
指で
さしてみろ

そのくらい
しってます
よ ここ
でしょ
そこは
ホンコン
だ

そうだ！
思いだした
ここです
ここ！
そこは
南極
だろうが…

ここだよ
この部分
全部
アメリカ！
わかるか！
グリ
グリ
あいたた
わかった
わかった！

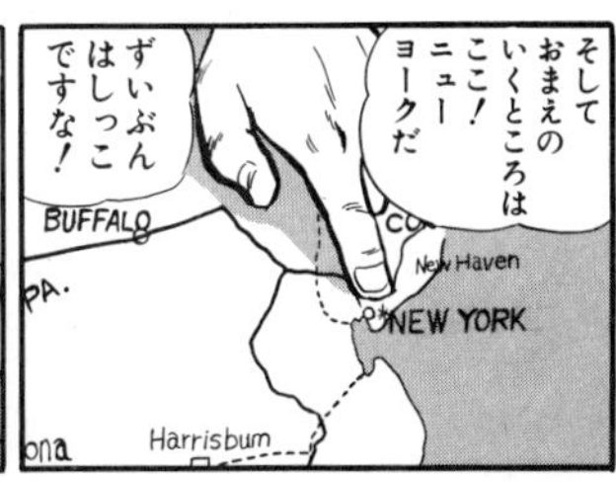
そして
おまえの
いくところは
ここ！
ニュー
ヨークだ
ずいぶん
はしっこ
ですな！
BUFFALO
New Haven
NEW YORK
PA.
Harrisbum
ona

それで
夜行で
いくんです
か？
なに！
ピク

あ　いや！
その顔は
否定ですな
すると
ズバリ船！
あこがれの
ハワイ航路か
なんかで……

飛行機で
いくんだよ
アメリカの

アメリカの
…てえと
B29で？
戦争から
はなれろ
おまえ

アメリカで
使う金は
セントと
ドルだ
えっ？
100ドル
50ドル

銭湯で
おどるん
ですか？
外人が…
セントと
ドルだよ
よく　きいてろ

ドルは
100ドル　50ドル
20ドル　10ドル　5ドル
1ドルが　あって
その下に
セントが　ある
たとえば
1ドルが230円と
すると50セントが
115円で25セントが
57円………
ち…ちょっと
そんな
いっぺんに
いわないで！

忘れないようかいときます
えーと1ドルがいくらでしたっけ
時によってちがう
200いくらだな……

いじわるしないで教えてくださいよ
いくらですか?
だから日によって値段がちがうんだ

金がかわるなんてバカな!
人がせっかくおぼえようとしてんのに!

わからんやつだ
日本は変動相場制といって…
部長!

その説明にはいるとますます先輩の頭が混乱してパンクしますよ
それもそうだな

よし1ドル220円だ
はい220円…と

いいんですかいいきっちやって……
かまわんどうせ計算でまたくるうにきまってる

えーと5ドルが1000円で………
いや…ちょっとちがうなァ
5かける0はゼロ
5かける2は10で………
CX500
新発売
おいもういいかあれから1時間もたつぞ……

部長
もう いいのか?
すると 10フランは 600円ぐらい ですか…
だれが そんなのまで おぼえろと いった! バカ

部長 少し かわりましょう
たのむよ 血圧が少し あがってきた 少し 横に なる
先輩 お金は あとにして まず パスポートの 用意を しましょう
パス ポート?
なんだ それ 神戸のポートピアと 関係あるのか?
本当に アメリカ いけるのか 心配に なってきた…

旅行の時 必要なんですよ このくらいの 大きさで ノートになってて まん中に 菊のマークが はいったやつ…
なんだ あれか! 英語 使うから わかんな かったよ
最初から そういえよ ほら 警察手帳

警察手帳でどうやって海外旅行いくんですか
しるかよおまえがそういったんだろ!

会話するから時間がかかるのよまかせて
たのむ敵は なかなか手ごわいよ

いいわたしがかくものを明日までに用意するのよ……
480Z
チョロQ
海外旅行初体験なんだぞわしは……

戸籍抄本一通住民票一通…なんだこりゃ
中はよまないでいいからその紙区役所へだして

そのあと写真店へいってこの紙だして
こりゃ楽だ

旅行中のことはこのノートに全部かいておくわよトランクもつめてあげる当日は 手ブラできて……
よし

小学校低学年の夏休みの宿題のつもりで対すればいいのよ両ちゃんの場合は…
さすが女性だな

キイイイ
金日空
コクサイエアーポー

TAX
タクシーのりば
キッ

ずいぶん遠いんだな2時間もかかったぞ
バタッ

ニューヨークまでは17時間ですからね
もっとですよ
はい　バッグ
はい
トランクよ
キーは　別にもっていてね
おい
こんなでっかいのもっていくのかよ
四週間分よ
これでも少なくしたほうよ
みせてみろ
よけいなものばかり　はいってるんじゃねえのか
バタッ
着がえなんていらねえよ！
カメラもいらん！
薬もいらん！
これもこれもいらん！
これでよし！
たったこれだけでいいの？
荷物なんて軽いにこしたことはねえよ
バッグもいらん
これだけ風呂敷につつんできゃおわり！
海外旅行というより結婚式の帰りですよ
いいんだようるせえな！

旅券をかえてきますから　そこでまっててください
あいよ

部長　レポートは乗る時だせばいいですか？
なんのことだ？

日本の総理をほめた感想文を提出しないと出国許可がおりないって…
ばかなこというなっ必要ない！

米屋の領収書や中学校の通信簿もみせなくていいんすか！
あたりまえだっどうしてそんなものみせるんだバカッ

だれかにだまされたのね両ちゃん…
うぬ〜っ警らのやつら〜っ純粋なわしをからかいやがって…

いくの中止！あいつらぶっとばさんと気がすまん！
あっ両津
ダッ

あいたっ

あっ
先輩
どうしたん
ですか！
おーい
両津を
つかまえて
くれ！
はなせ〜っ
このままじゃ
男が
すたる！
もう
出発の
時間ですよ
連中には
わしが いっとく
おまえは
アメリカへ
いくんだ
これは
命令だぞ
ちく
しょう
くそう！

11時15分発
ニューヨーク行き
パンナム707便の
搭乗案内を
申しあげます

そのノートに
いき方が
かいて
あります
からね
よく よんで
くださいよ
心残り
だな
まったく
EXIT
両津
くれぐれも
気を つけて
いってこい
機長に
いってください
こっちは
命あずける
身だから

両ちゃん！
まだなにかあるのかよ
これ…きのう買ってきたのもっていって
ん！
帝釈天のか寅さんのごりやくがあるかもしれないな
ありがたくもらっとくぜ！じゃあな
おっスチュワーデスまで外人かよ
PAN AM
ハローウエルカムパンナム
ハハロー

マイ　イズ
リョーツ
デス　イズ
グレイト
ポリスマン
ニッポン
ダイヒョウ
TAXI
タクシーのりば
いざいけばいったで心配はつきんな…
だいじょうぶですよ　先輩は生命力が強いから
あ…あの便よ両ちゃんの乗ってる機は！
キイイイン
PAN AM

数かずの不安を残し
日本を 旅立った
両津勘吉巡査長
どんな
珍道中が おきるか!?
アメリカで かれを
まっているものは
なにか!?

★週刊少年ジャンプ1981年40号

摩天楼の巻

※当機は、J(ジョン)・F(エフ)・K(ケネディ)国際空港に到着いたしました。

POLICE
DEPARTMENT
CITY OF
NEW YORK

摩天楼の巻

空港に
むかえに
くると
いってたが
だれも
きとらんじゃ
ないか
TRASH
TAXI
EX-55

こんなところで
迷子に
なったら
どうするんだ
まったく！

ニュッ
うわっ

ハロー
ひさしぶり
です
ミスター
両津
馬で
きたのか
びっくり
させるな

こちらへ
どうぞ
ヘリが
まってます

すごいな
ヘリで
警察まで
いくのかよ
POLI
ISLAND HELICOP

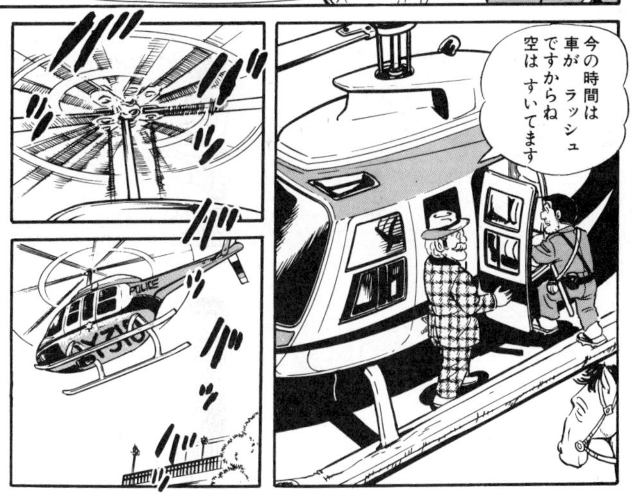
今の時間は
車が ラッシュ
ですからね
空は すいてます
POLICE

ニューヨーク市は
5つの区に　わかれ
マンハッタン　ブロンクス
ブルックリン　クイーンズ
リッチモンドがあり
摩天楼が　あるのは
マンハッタンです
黒人　白人…
あらゆる人種が
あつまっていて
人種のルツボですね
アメリカは……

かれの
市警57分署は
マンハッタン島の東側
ニューヨークでは　かれが
案内します
そりゃ
ぜひ
よろしくな!
はっきり
させとくが
オレは日本人は
きらいだ!
ほかならぬ
ジョージの
たのみだから
やってやる
だけだ

なんて
いった
んだ
いったい

その　つまり
かれは日本人を
好意的に
おもって
ないのですよ
太平洋戦争で
母親を
なくして
ますからね

ばか
いうんじゃ
ないよ
お互いさまだ

わしの
すんでいる
下町など
まっ黒こげに
されたんだぞ
私に
いっても
しようが
ない！

あと
数分で
57分署に
つきます

ヘリって
早いもんだな
気分いい
はは……

イナカ者だよ
この男は……
デビッド
そんな
いい方は
よさんか

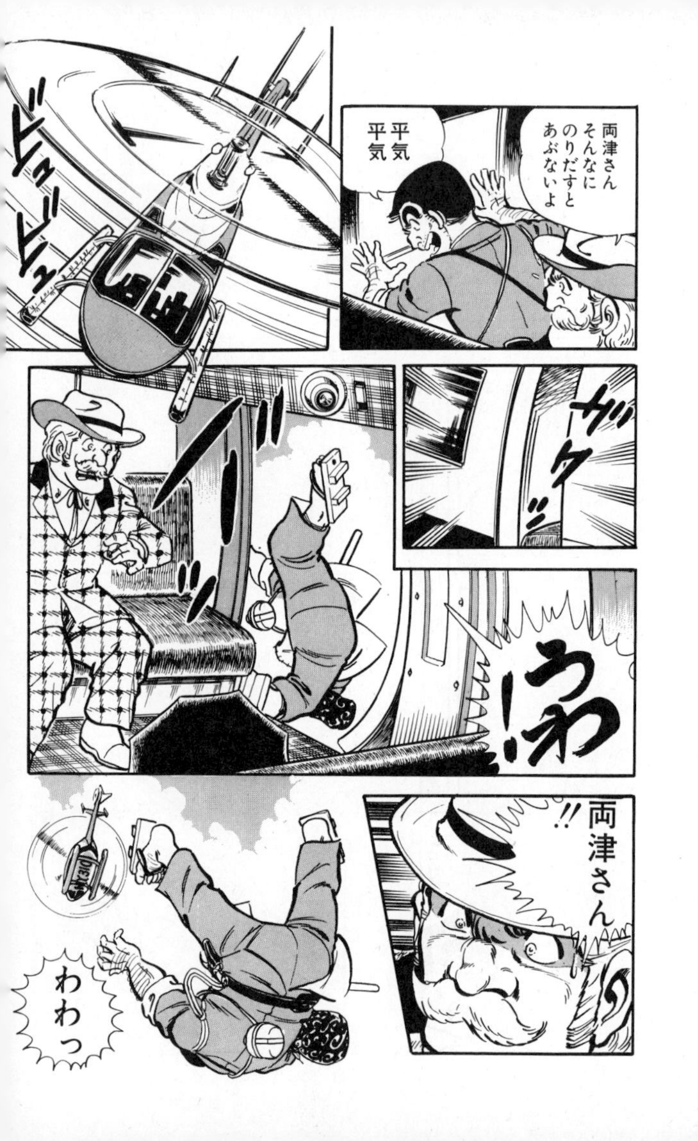
両津さん
そんなに
のりだすと
あぶないよ
平気
平気
ビュビュビュ
ザクッ
うわ!
両津さん!!
わわっ

おっこち
ましたよ
機長!
あっ　そう!
下がハドソン川
だから
だいじょうぶ
じゃない

まったく
日本人はドジだ
機械を つくるしか
能が ないからな

ドボン
なんてこった!

ちくしょう
ボロヘリめ
ドアくらい
なおせ

おかげで
迷子に
なっち
まったよ
歩いて
57分署を
さがすしか
なさそうだ

ONE WAY
THIS IS A PEN I AM A BOY
Nemui
RAKUGAK
Konna Tokomade Yamuna
Woo!
NEW YORK 3 CHOH ME
RUNAWAY
DATSUN
どこかに流されたんじゃねえのか あの日本人………
あの人はタフだ！
パカ
パカ
POLICE
マグナム弾でうたれても平気だ　かれは！
へっ まるでスーパーマンだね！

McDonald's
Hamburge
くえるところといったら日本でもしってる場所しかわからんからな……
しかしことばも通じなくてどうやってさがせばいいんだ
絶望的だぞこりゃ
ズゴーッ
なんだ強盗か!?
GINKO DESUYO AMERIKA

いてっ
おいだいじょうぶか!
あのやろう!

うわっ
なんだと
よし　いく！
ジョージ
悪いが
仕事が　先だ！
ジャップのことは
ヒマな時に
つきあうぜ！
POLICE

ギャギャ～ン
そう簡単にやられてたまるか!
キキ～
ガッディム
ヒュンヒュン
ビュン
あの人ゴミの中だな銀行強盗犯め!!
バタッ

うっ
あの男は
!?
さっきの
ジャップだ
とまれっ
てのが
わかんねえ
のか!
Oh!
いてっ

車からでりゃこっちのもんだ!
ありゃ
さすがにくい物のちがいがでやがるな
ちくしょう
日本古来のゲタでうちのめしてやるっ
いてっ

チビのわりに
ものすごい
ファイターだ

あれが
両さんの
本領さ
デビッド

早く　つかまえ
ないと両さんが
ボコボコに
しちまうぞ
わかって
るよ！

みよし
東京
みよし

日本料理
JAPANESE RESTAURANT
うひょっ
本当にこれ 全部たべていいのかよ!?
今日はお手がらだったからささやかなおかえしだよ

機内食も洋食ばかりで死にそうなところだったんだ……
もう最高ーっはははは!
パク
パク

会計は57分署に回しておくからたのむよ
おい勝手なことするな!

今日　協力してもらった
それに　おまえさんが
かれの接待役だからな
ちぇっ
わかったよ

あんたも
スシ
どう
プリーズ
ノー　ノー
そんな気味の
悪いもの

それでは
両津式
すしの早ぐい
ごひろう
しよう
ヒョイ
ヒョイ

はい
ガバ
ガバ
よう
おみごと
パチ
パチ

やはり
イモざるだ
この男は！

んぐっ

うぐぐぐ
早く　水を
デビッド
早く！
明日から
この男と
行動するのかと
考えると頭痛が
するぜ！

★週刊少年ジャンプ1981年41号

アメリカよいとこ!?の巻

ニューヨーク市警57分署の署長
ジョージチャッキリさんです

こちら日本の警察官の両津さんです
ハローハロー

すごい力だな
今日一日ゆっくり見学してくれとのことですよ

How do you do?(初めまして)

今日は通訳として日系のミスター加藤にパトカーに同乗してもらいます
どうぞよろしく

レスラーみたいにでっけえ署長だよ

今日はハーレムのあたりをパトロールしてみましょう
MUSE
北 京 料
Bar Bar
POLICE
アメリカよいとこ!?の巻

栢松珠寶公司
PAK CHUNG JADE CORP.
LAS AMERICAS
JEWELRY CORP.
CHAINA TOWN
なにハーレムだと?
THIS IS A PEN.
O'MISE
OMIYAGE

ハーレムってえと美女をはべらしているというあれか！
いいえセントラルパークの近くにある街のことです

昔は高級アパートだったのですが月日とともにその面影も消えてしまって…

猿の惑星に出てきたやつ早く見たいな！
なんですそれ？

自由の女神だよ！知らんのか！
こんなふうに立ってて…

キッ
ガッ

いてえな急にとめるな

どうしたんだいったい？おい！

SHONEN JUMP
SHUEISHA
ようし
そこまでだ
両手を　高く
あげろ！
POLICE

足を　ひろげろ
そうだ！
手は　動かすな
そのままに
していろ
ふりむくんじゃ
ない！
POLICE

なんだ
あいつら？
車あらし
か？
そうです
この
ニューヨーク
では
多い犯罪です
拳銃のフリーな国
アメリカでは
相手が　銃を
もってることは
あたりまえですから
いきなり
とびだしたら
ズドンですよ
West Side
すぐ
とっつかまえに
いきゃいいのに
にげられ
ちまうぞ
それは
日本的な
発想ですな
ぶっそうな
話だ……
まるで
西部劇だな

大変だな
アメリカの
ポリスは…
バワッ

えっ
なに
いってんだ
ベラペラ

日本の治安が
いいというのは
一般人が 銃を
もってないから
あたりまえだ
といってます
無能でも
つとまると
……
反日感情が
あるな
この男は！

キキィ
そのため
われわれは
最低2丁の
銃を身に
つけてます

ここが
ハーレム
です
ブロロ…
BAKA

なるほど
こわそうな
所だな
観光客など
一歩足を
ふみいれよう
ものなら
袋だたきに
あいますよ
仲間意識が
強いわけ
か……

ビュッ

ビッ
うわっ

パトカーに
ぶつけて
くるとは
相当だな
まさに
無法地帯
ですよ

くそ！
ブタどもが

おい！
ビルが
燃えているぞ
火事だよ
よくある
光景です
ブロロ

火災保険もらうためにわざと火をつけてるんですよだから消防車もここへはきません
本当の火事ならどうすんだよ
あっ
おい火の中に人がいるぞとまれ!
みまちがいですよだれもいませんよ
本当だよ早くとめろ!
ええいじれったい!
あっ
なんて無茶な
いったいなにごとだ
さっきの火事現場へ中の人をたすけに!

おい
だれも
たすけに
いかん
のか!

無理だな
あれだけ燃えてりゃ
手おくれだ
やはり
いたか!

くそ!
早く
しなきゃ
間に
あわねえ

なんだよ
おまえ
中のやつの
身内か!?

いいから
そこで
まってろよ

燃えおちる
前に
かならず
もどる!

足には自信がある！まかせろ
うわ！あの男火の中にとびこんだ！
……
なんて　やつだカミカゼめ！
ギギギ

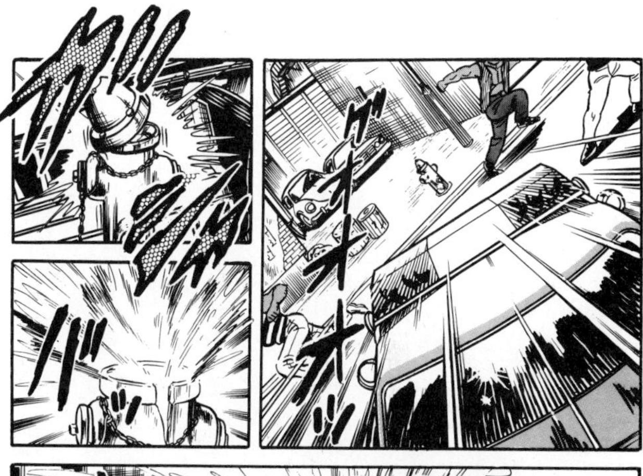

なんてこと
するんですか！
POLICE

早く
この水を
かけろ！

あんたも
まさか
…！

ダァーン

なんとか
もどって
こられたな

オレが
いかなきゃ
おまえたちは
黒こげさ
その目は
ワシに
恩を
きせてる
目だな

バタッ
時間を
くった
先に急ぐぜ

ブロロ

五番街
中央公園
ブロードウエイ
私たちの担当パトロール地区はこれでおわりました
POLICE
BOOKS
えらく 事件が多いな 半日まわっただけでもフラフラだよ
おつかれさまです
abcdefghij klmnopqrst uvwxyz
えっ なんだ?
日本であんたのような警官がいるとは信じられんといってますよ
人をばけ物みたいにいうな!
HAIG
BOND'S
COOL
BON

5TH AV
PARK AV
ONE WAY
NO PARKING

もうすぐ長距離バスがくるころだ
悪いなわざわざおくってもらって！

サンフランシスコ市警に連絡してあるからいけばわかるはずだ
OK！ニューヨークは楽しかったよ

とくに57分署のデビッドによろしくいっといて…
ピュー

あっデビッドどうしてここに！
what is this?

よかったら
シスコまで
オレの車で
おくらせてくれ
おくって
いって
くれる
そうだ
そりゃ
たすかる
よ!

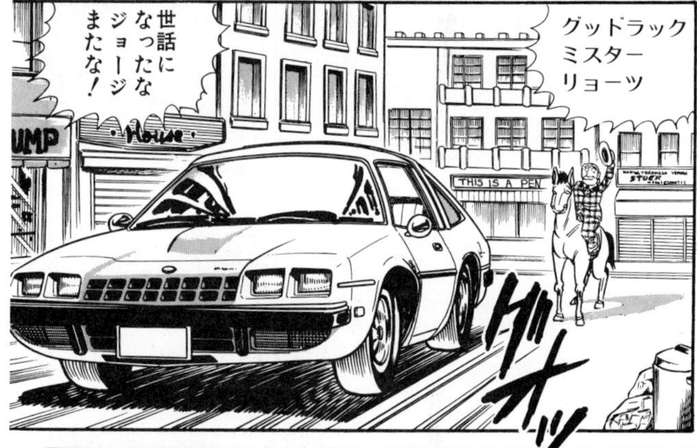
グッドラック
ミスター
リョーツ
世話に
なったな
ジョージ
またな!
UMP
House
THIS IS A PEN
STUER
グオッ

サンフラン
シスコまで
なん時間
くらいなんだ
スリー
ディズ

スリー…
3日か!?

バスで
いけると
いってたから
近いと思って
いたが……
ずいぶん
かかるな
ブロローー

まあ
よろしく
たのむよ

Better Eastern
MOTE
NIGHTLY
King's Row
FIREPLACES
KORE WA TEKITOUNI
TANGO NARABETADAKE

おっと
そうか
もう通訳が
いないん
だっけな
ノートみて
英語の勉強
しないとな

ブロ

MOTEL
RESTAURANT
SENSHU
THIS IS A PEN
Coffee
ROOM
車で旅行する連中が多いなアメリカは…

ひょう
ドドドド
ガガォォォ
うほぉ
ガリ
ガリ
ガオオオオ
どんどんぬかれるぞもっとスピードアップしろ
What？（なに？）
グイ
こうだよ！

バラバラバラバラバラ
あっ
やった ぶっちぎりだ
なんだ？ 上？
ワタチ コトバ ワカラン アルヨ エーゴ ゼンゼン ハナセンヨ ミノガシテ
なに話してるんだ？ この日本人！ アホか！
無理だって…アメリカではごまかせないよ！

★週刊少年ジャンプ1981年42号

シスコみやげの巻

カリフォルニア州 サンフランシスコ

ここにむかえにくるはずだがおそいな

Look at that！
(みろ！)

ドドドドッ

ミスター
両津ですね
ロス市警の
チャーリーです
よろしく
AMERICAN
TSUGARU
THE AOMORI
CALIFORNIA HIGHWAY PATROL
KZ1300
Kawasaki

シスコみやげの巻

ああ
よろしく
たのむよ

サンキューデビッド
おかげで無事あえたよ

See you again.
(またな!)

気ィつけて帰れよ
ブロロロ

いやあ あんたが日本語話せるんでたすかるよ

ぼくは日本が大すきでね
バイク大国だよ日本は!

このKZ1300もポリス用に改造したんすよ!
POLICE

それより
3日も車で
つかれたよ
はやく 宿に
いきたい!

はい
もちろん
用意して
あります

フロントに
キーは
あずけて
あります
まって
ますから
荷物を
おいたら
きてください
HOTEL
FRONT
やれやれ
ハードな
旅だよ
まったく

ディス イズ ユア ルーム
そうか また チップを やらんと いかんのか

ほらよ
サンキュー

どうも 西洋式の ホテルってのは めんどくせえ なあ
日本の 旅館の方が 気楽で いいよ
ドサ

えーと 今日までの 予算合計を だすか

ちゃんと つけとかんと 部長に おこられる からな
1ドルが 220円だから 3くりあがって ‥

ビールが 1ドル 70セントで 70セントって ことは……
50セントが 110円で…… えーと…… う〜〜む

えーい! やめた くそ!
なんで 主婦みたいに 家計簿 つけなきゃ ならんのだ

なんだ? ノートに金がはいってるぞ

なんだこりゃ
よく読む事!
おみやげ
部長…パイプ
スポルディング
ゴルフクラブ
アラミス
中川…レミントン
ショットガン

あいつらしっかりしてやがんなこんなにいっぱい買ってくのかよ
わしを輸入業者とまちがえてるんじゃないのか

おっとあいつらがまってるからな
早くいこう!

おうまたせたな
どうぞおはいりください
OTEL

フィッシャーマンズワーフで食事しましてピア39でショッピングを予定してます
そして明日ルート1をとおってわれわれのロス市警へむかいます

今日一日シスコで静養してください
うむよきにはからえ
FISHERMANS WHARF OF SAN FRANCISCO
エビにカニか…わしの好物だ

このフィッシャーマンズワーフは漁師街で一流の海産物料理店がならんでます
しかしアメリカだなすべてが大型サイズになってるよ

ほかにもなにかお好みの物を注文しますか?
そうだなじゃこれとこれとこれと……
MENU
MENU

そんなにたべられませんよ量が多いですからね

だいじょうぶだよわしはだされた物は残したことがない!

しかしアメリカ人と日本人とでは体格が……
胃袋はアメリカン!すききらいなしのオールマイティ!

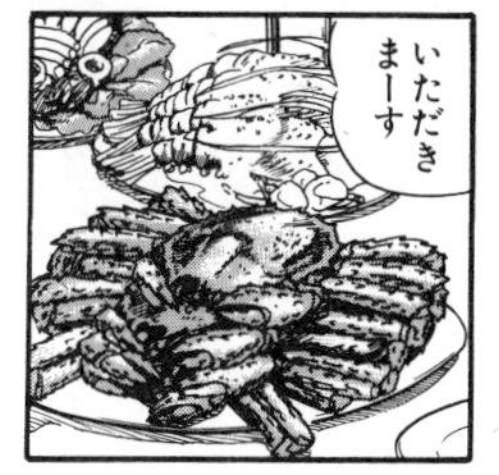
いただきまーす

すごい…3人前たべてしまったあんな小さい体でどうして……
人は私を鉄の胃袋人間(アイアンストマックマン)とよんでいるはっはっはっ

だいじょうぶですか？気分悪くならないですか？
全然！とくにタダの料理はどんなものでもたべる

Kentucky Fried Chicken
おっフライドチキンちゃん買おう！
ドドッ

まったくよくたべる人だ

PALACE of Fun
ガヤ
ガヤ

PIER 43½
BAY CRUISE
THE RED & WHITE
FLEET

うおっ すごいな これ 全部 売店か!
今日は日曜で 人が多いから 迷子に ならないで くださいよ

ピア39
UFO
Californ
SUGGESTED WAY
TO SEE PIER 39
GO UP THESE
STAIRS
CIRCLE
UPPER LEVEL
ザワ…

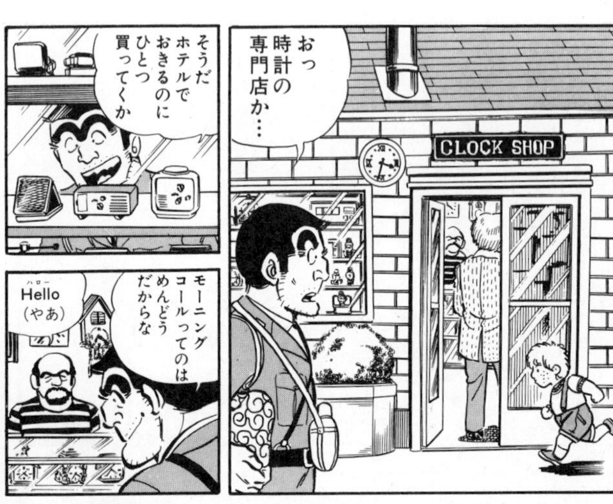
おっ時計の専門店か…
そうだホテルでおきるのにひとつ買ってくか
モーニングコールってのはめんどうだからな
Hello(やあ)

目ざまし時計くれ一番音のでかいやつ
What?(なに?)
音の大きいんでないとおきねえんだよ
おとビッグね
??
つまりだな……

ジリリリリリわかるかっジリリリリリン!
oh!ok ok
人間心がふれあえば通じるもんだな

今度はカウボーイハットやブーツの店だな
HATS

ほうずいぶんいっぱいあるな
Hello!（こんにちは）
えっ

Please（どうぞ）
スポッ
ははは似あうかな…？
Good.（いいわよ）

そうかあ
こりゃ
アメリカ的
だよ ウン
これに
きめた!

まず
わしの
ひとつくれ
そして
部長に
ひとつ
あと
中川
麗子
本田
寺井 戸塚
課長
計8つ
エイト

これで
みやげ品
全員
おわり
安くて
よかった

全部みるのに
半日は
かかりそう
だ…

こらっ
なに
するんだ
まて!
GUN

あっ

ちくしょう どこへ にげやがった
どうかしたんですか 両津さん
MIYAGE

金 とられちまったんだよ! みやげ物もな!
なんですって 金を!
BOO

おそらくでてきませんよ この人ごみですから
サイフもはいってたんだぞ もう一円もない

そんなこといっても! だから十分注意してくれと
そうだ 4時に…

この下だ わしの時計がなってるぞ!

おい 今なん時だ
もうじき4時です

ジリリリ
あいつだ
ガ
ガバッ
このやろう
にがさねえ
ぞ!
SHOES STOAR
CHUN
ズダダン
警官から
物を
とるなんて
ふてえ
やろうだっ

いきなり
とびおりて
びっくり
しましたよ
頭より
行動が
先だ!

いいか
今度
こんなマネ
しやがったら
タダじゃ
すまんぞ

今日は
大変
おつかれさま
でした!
手荷物は
気を つけて
くださいね
とくに
パスポートは

十分いわれて
きたよ
だから
ポケットに
ちゃーんと
ポン

ない!
パスポート
がない!

まさか！
あれがないと
出国できなくて
日本に帰れ
ませんよ！
帰れんだと!?
バカなっ
全然ないぞ！

チャーリー
もどって
さがして
きてくれ
了解

ドオオオッ

COST PLUS
IMPORTS

まいった
本当に
帰れない
のかな？
手を
うつとは
いってた
けど……

ちゃんとズボンの内側にいれときゃよかったくそ!
バサ

なにっ

両津さん今パトカーでさがしてます!
バタ
日本の大使館の方にも連絡つけときましたよ!
サッ

そんな青い顔して心配しないできっとみつかるさとどけてくれますよ
い…いやそうじゃなくて……その………
日本領事館にも連絡してありますからねだいじょうぶです
よわったなあまり気を遣わないで……ね

★週刊少年ジャンプ1981年43号

CHP(カリフォルニアハイウエイパトロール)の巻

近づくにつれてパトカーがふえてきたな
ヒュン
ヒュン
ヒュン
TRADE & SELL
Space Oddity
John, I'm Only Dancing
Golden Years
CBX1100
Aloha

カリフォルニアハイウエイパトロール

CHPの巻

L.P.レコード
FUEL ALBUM
2800円だから
買え!!
よろしく!!

ギイイ・
ギイッ!!
ギイッ

なるほど
パトカーで
道を ふさぐ
わけか

ハイウエイから
市街に ぬける
前に ストップ
させないと
危険だからな
ドドドッ
POLICE

CHPやろうが
悪党を
もうすぐ
ここまで
追いだしして
くる

よし
わしも
助だち
してやる

きたっ

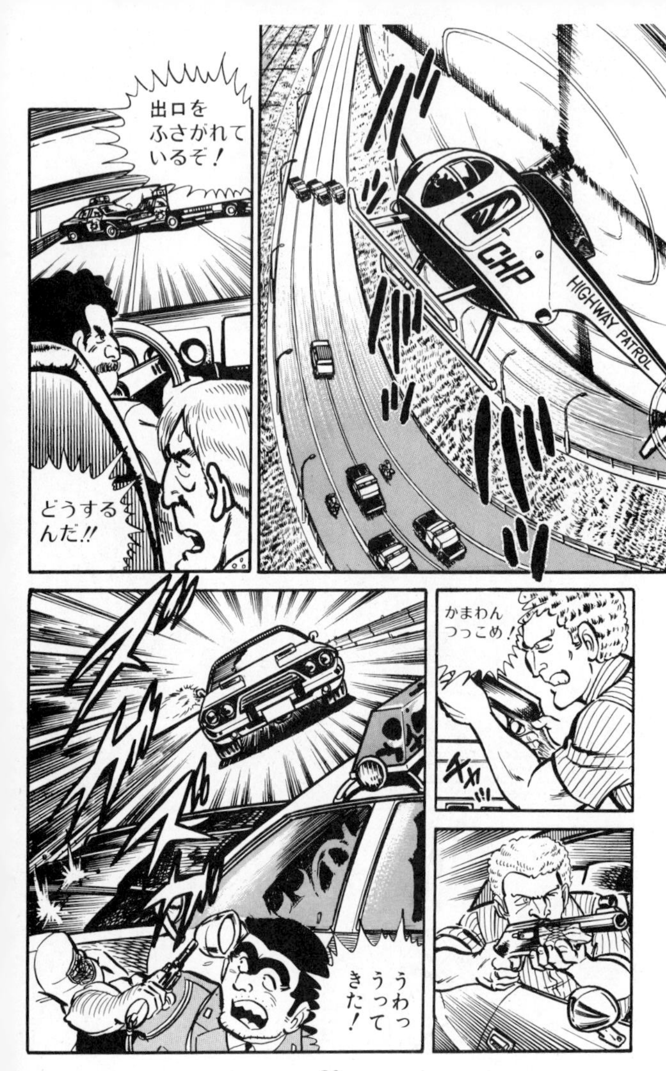
出口を
ふさがれて
いるぞ！
どうするんだ!!
CHP
HIGHWAY PATROL
かまわん
つっこめ！
うわっ
うってきた！

強行突破だ
すごい映画なみだぞ!
あっ

ズバッ
ギュル
なんだあいつは!
われわれの中でも腕ききの隊員ですよ
おれもこうしちゃいられない!
ズドッ

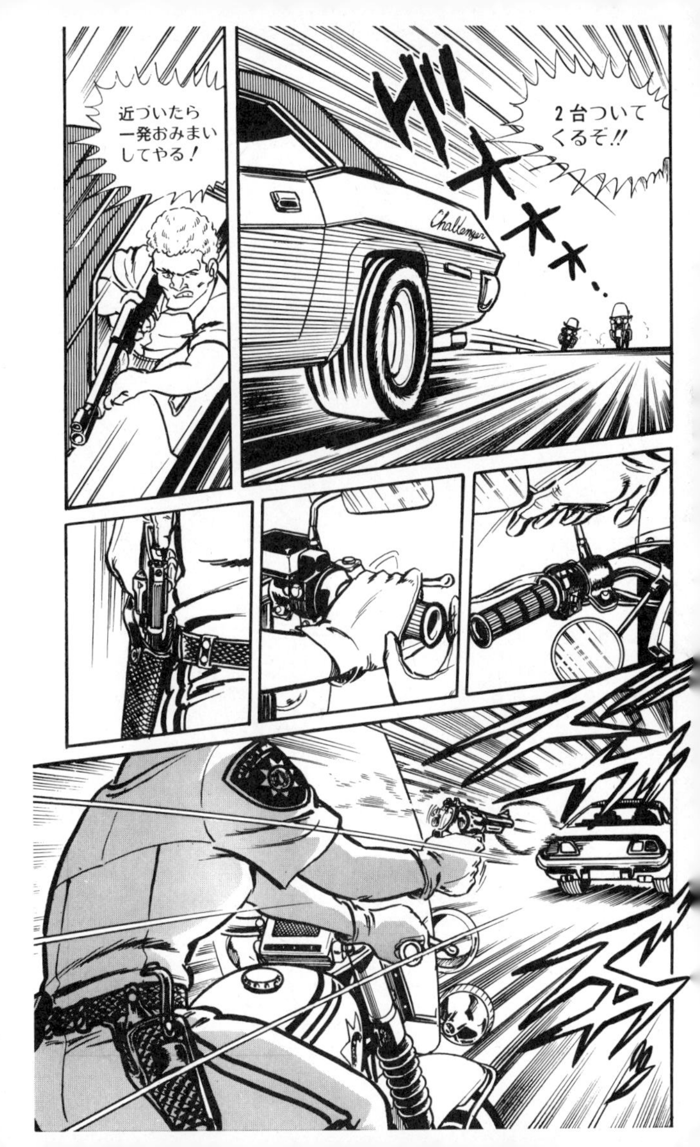
2台ついて
くるぞ!!
近づいたら
一発おみまい
してやる!

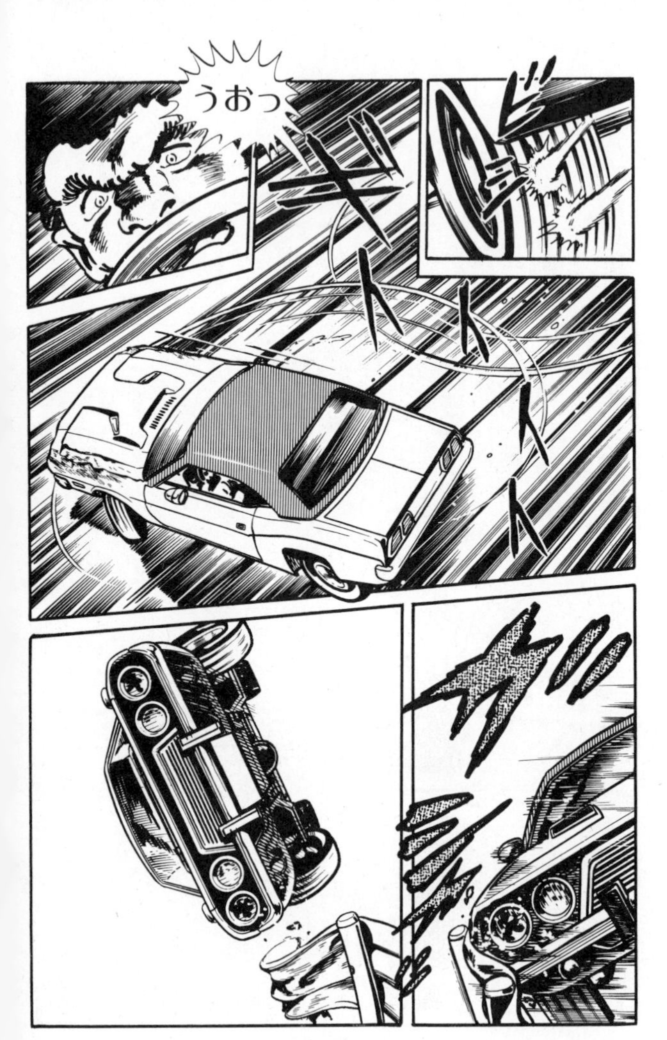
うおっ
ギイイイイ

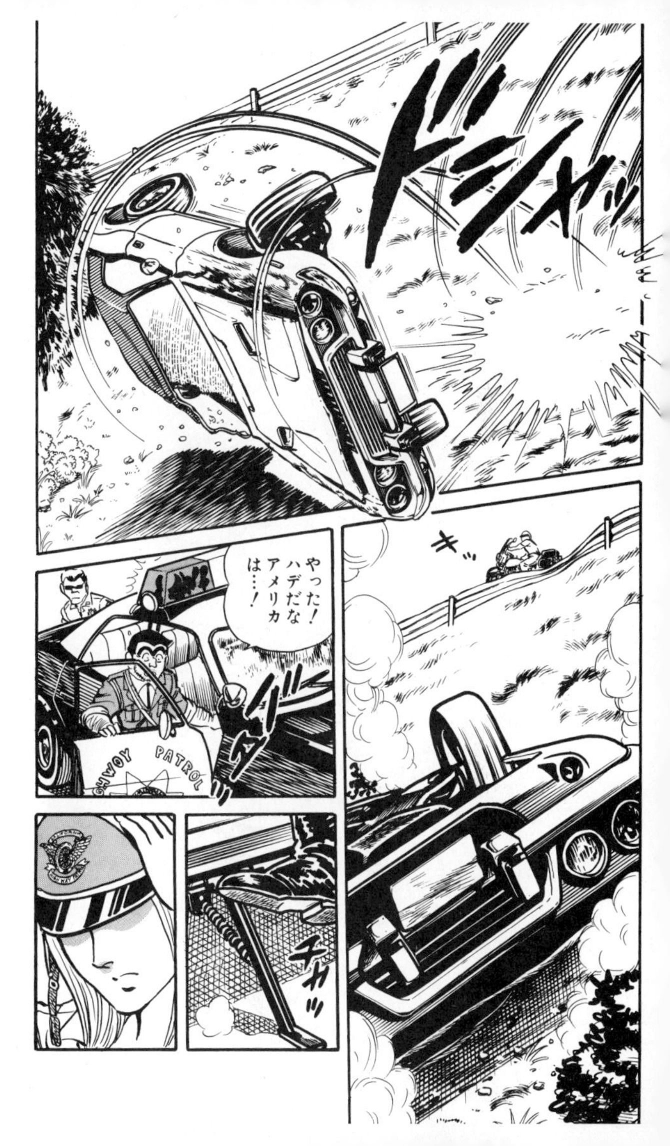
ドシャッ
キッ
やった！ハデだなアメリカは…！
ダッ
PATROL
チカッ

なんだ
あいつは
女か!
アメリカでは
女性白バイ
隊員は
めずらしくない
中でも
かの女は
抜群だよ
KAWASAKI
ジャリ

ザザ…!
サンディ
気をつけろ
油断
するな
ズギューン
きゃあ
一っ
ビビッ
ズッ
だいじょうぶかっ
ダッ
あぶない!!
ズギューッ
ズギューッ

つかまってたまるか！
ズギュ
ズギャ
ズギャッ
サンディが孤立してしまったぞ危険だ！
なんだと！
ズギューン
ズギューン
ズギー
あの女を人質にするんだ！いけっ
よし

あっ
あぶ
ない
！
まてっ
このやろう
ザッ
あっ
ゴロン
バサッ
うぬっ
くそ！
へへ
よろしく
マイ ネーム
イズ
リョーツ
ジャパニーズ
ポリスマン
あなた
ニッポンの
警官

あんた
日本語
しゃべれるの
そりゃ
よかった！
ズギューン
ズギュ
よろこんでる
場合じゃ
ないな
こりゃ
発砲件数に
かけては
日本一だ
このやろう
ドドカ
ヘイ
リョーツ
ボソボソ
よし
わかった
どこねらって
やがる
ヘタくそ！

ベリーナイスショット!
ははは銃にはは自信あるからな!

だいじょうぶですか?
かの女が肩をケガしてるぞ

ちょっとかたきをうってきてやる!

女に発砲するとはふてえやろうだこの!
バコ
アウッチ

KAWASAI

本当に あの時
助けて
もらわなければ
今ごろ
どうなってたか
わかりませんわ
いやあ
かっこよく
いこうと
思ったのに
こけて
ころがっ
ちゃって
ははは

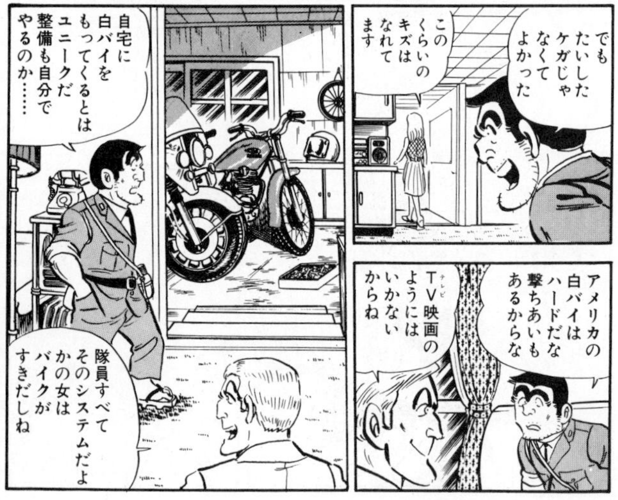
でも
たいした
ケガじゃ
なくて
よかった
この
くらいの
キズは
なれて
ます
自宅に
白バイを
もってくるとは
ユニークだ
整備も自分で
やるのか……
アメリカの
白バイは
ハードだな
撃ちあいも
あるからな
TV映画の
ように は
いかない
からね
隊員すべて
そのシステムだよ
かの女は
バイクが
すきだしね

ちょいと
みせてくれ
ほう 日本車が
あるぞ
日本から
研修に
わざわざ
きたん
ですってね
日本でも
優秀な
ポリスマン
らしいよ
外見は そう
みえないけど
あら
両津さん
は?
今 車庫に
日本の
バイクを
みに
いったよ
ほら……
グオオオッ

大変 あの車
まだ修理中
なのよ!
なん
だって
バキベキ
ガシャ
それ
ネジしめて
ないのよ
だいじょぶ
だった?
先に いって
ほしかったよ
いててて
早く ここから
だしてくれ!

★週刊少年ジャンプ1981年44号

グッバイアメリカ！の巻

もしもし！
もしもーし
TROOPER

あっ
部長
きこえ
ますか？
ハロー
チャリ チャリーン

私ですよ
両津！
忘れた…
そんな！
は…はは
チャリーン

明日
帰りますよ
えっ
そうです
え？
明日
です！
チャリーン

それから
金が
足りなく
なったんで
都合つけて…
ガチャッ

ちぇっ
かんじんなこと
いわずに
切れちまい
やがった
くそ！
ガチャ

両津さん
東京に
連絡つき
ましたか?
ああ
半分
だけな

なんだ
いい銃
使ってるな

グッバイアメリカ!の巻
ズガガガー

ステンレスモデルですよ

このM68はCHP用につくられた銃ですほかにM67もあります

ステンレスはサビにつよい
アメリカ人は無精ですからうってつけの銃です

両さんもうってみますか
よしやってみよう

あらきていたの
署内見学でね…ずっと回っているんだよ

明日日本へ帰るアメリカも今日一日限りだ

そうそれは残念ね…

それじゃ今日みんなで送別会をやりましょうよ!
そりゃあいい!

やあ そいつが強盗をつかまえたっていう日本人か
クチャ クチャ
そうさ マックス
かれはCHP(カリフォルニアハイウエイパトロール)の中で一 二を争う射撃の腕よ!
へえ
ザイ
SIG(エスアイジー)だ おれはリボルバーよりオートを信頼する
チャ

ビッ
ビッ
ビッ

チャッ

すごい！
なんて
早うちだ！
クチャ
クチャ

犯人と
100分の1秒
早いか
おそいかで
生死のきまる
稼業だ
自然と
早くなる
ジャキッ

ガン
プレイも
命がけ
だな
この国は…

マックスも
どうだ
かれの送別会
いっしょに
こないか
OK
仕事が
おわったら
いくぜ

さあ両津さんどうぞ

そこの席についてね今日は主役だから
こりゃすごいなみんなたべていいの!

両津さん
のんで
くださいかなり
いけるほう
でしょう
はは
すまんね
それじゃ
えんりょなく

ところで
署で みた
でっかい
男は？
もうすぐ
くると
思いますよ

よう
おまたせ
おまたせ

手ぶらで
きちゃ悪いから
酒もってきたぜ
ガチャ

そりゃ
心強い
気合いを
いれて
のめるな

わははははは
がははは

がははは
気にいったぞ
この日本人！
ヤンキー魂が
あるぞ
おまえこそ
きっぷがいい
江戸っ子
気質が
あるよ！

もっと
のもう
今日は
夜中まで
のみ続けよう
ちぇっ
もうないぞ
気分
こわすな！
おい
サンディ
もっと
ウイスキー
ないのかっ
あのふたり
水のように
平気で
のむわね
買ってくるわ
ダースで
買ったほうが
いいようだぞ

あんた
銃の腕も
バツグン
だね

生まれた
テキサスじゃ
山奥に住んで
いたからな
ガキのころから
オモチャ
がわりに
うってたよ
コヨーテや
外敵から
身を守るための
必需品だからな

賛否が
わかれるが
今のアメリカは
拳銃ぬきじゃ
くらせないぜ
そりゃ
いえるな

銃の腕が いい
ということは
警官やってて
長生きできる
ということだ
市民を
守るためにも
強くなけりゃ
いけねえ！

わしなど
腕がいいのに
毎日 始末書
かかされる
アメリカに
生まれりゃ
よかったよ

どうだ
ちょっと
うって
くるか？
また
署に
もどるのか？

この裏に
山がある
あそこなら
いくらでも
うてるぞ
本当に
うてるのか？

サンディ この間 あずけた 弾丸 まだ 残ってるだろ
また うちに いく気!
ぜひ うちくらべ やりたく なった

カボチャや スイカなど どうする んだ?
まあ だまって ついて こい
まったく しようが ないわね

ここなら
むこうが
丘に
なってるから
安全だ!
それで
マトは
どうすんだ

今
置いてくる
背中は
うたんで
くれよな
ははは

カボチャを
うつのかよ
もったいない
気するな

あんたのは
38スペシャル
だろう
タマは
いっぱいある
えんりょなく
使ってくれ

ちょっと
まて
それなら
こう
しよう
ん!?

バイクに
乗りながら
うつんだよ
わしは
動くのに
乗ってたほうが
得意だ
そりゃ
おもしろい
やってみよう

バイクなら
お手の
もんだぜ
ドド
サッ

バルゥッ

ズ
ギュッ
ズギュッ
ドド

うぬっ
一発
しくじったか!

ドド
はは
思ったより
むずかしい
だろ

グオオオ
こういう
ことは
わしの
大得意!

よいしょ

日本人は
足の指が
器用だから
な……

ズギューーン
バーン

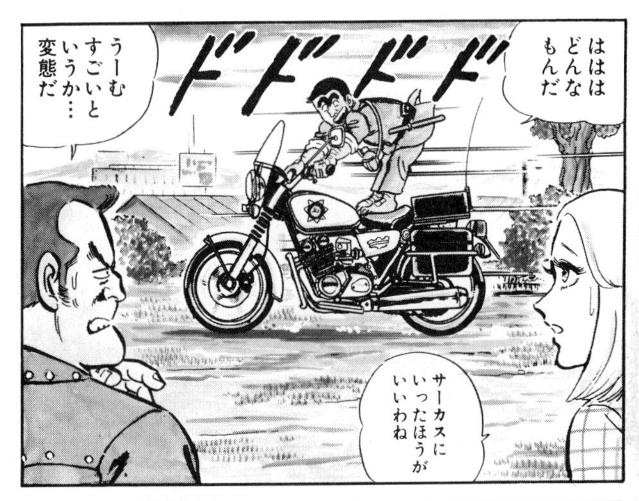
ははは
どんなもんだ
ドドドド
うーむ
すごいと
いうか…
変態だ
サーカスに
いったほうが
いいわね

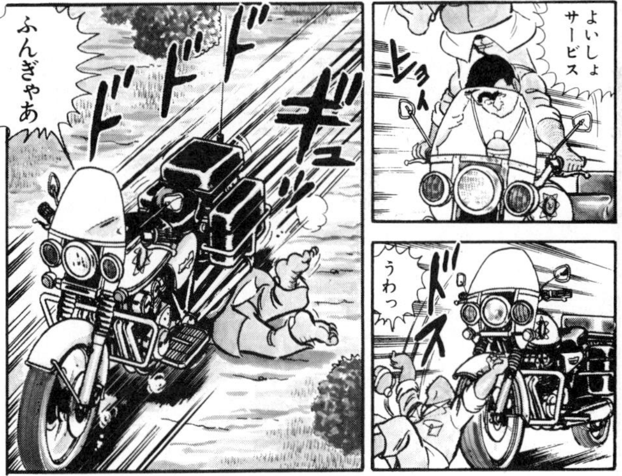
よいしょ
サービス
ヒョイ
ドドド
ギュッ
ふんぎゃあ
ドス
うわっ

あいてて
ひかれた
!
むちゃ
するから
ですよ

自分の運転
するバイクに
ひかれるとは
ユニークな
男だ
うーむ
日本人て
かわってる
わね……

JAPAN
ARBL
412 25

わざわざ見送りにきてくれてありがとよ
十分気をつけて帰ってくださいよ
まったく

じゃあなマックス今度日本にあそびにこいよ
ドッ

OKサンキュー
ドスッ

どうでもいいけどいいボディーブローしてるないてて…
悪いな

日本の仲間にもよろしくね!

OK OKベリーサンキューたのしいアメリカ研修だったよ
それではしょくんさらば!

★週刊少年ジャンプ1981年45号

両さん帰国す!の巻
亀有公園前派出所
銃撃戦第2戦
カツラで変そうする所ジョージにふかくにも2名殺されたが2階にくる所に2丁のイングラムが火をふいた! 4弾倉.合計128発うたれて階段にたおれる所の手には8発入ったままのPPKがにぎられていた…
SHIFTY
900

よう
おはよう
おはよう
ございます

今日も
初秋の
香りが
ただよう
すがすがしい
日だね
一年中で
一番いい
季節だ

部長さん
このごろ
きげんがいい
ですね
そうかね
はっははは

体調も
すこぶる
いいし
食欲もある
人間
健康が
一番だな

きゃあ

どうした!?
今
お茶を
いれようと
したら
いきなり……

まっぷたつにわれるとは不吉な……
また新しいの買ってきます

部長
火の用心
注意数秒
もえれば10分

中川どこかでかけるのか!?
これから成田まで先輩を迎えにいくんです部長もいきますか?

なにっ両津!

そうだったあいつアメリカにいってたんだ
一か月もいないから存在を忘れていた

そういえば電話で話した気もする……そうか今日帰ってくるのか
部長どうします

中川にまかせるなるべく遠回りしてつれてこい

ブロロ…
きゅうすがわれたのはやはり不吉の前兆だった……
今夜両ちゃんの帰国祝いをやりましょうよねっ!

う…頭痛が…目まいもしてきた…
すまんが奥で横になる…

体が両ちゃんを拒絶反応してるようね

キイイイ…

よう中川!

元気でやってたか！ちっともかわってないな はははは
わずか一か月ですからね 先輩も元気そうですね
NEW YORK
KAMEARI
KAMERIA
PEKOREKO
AIUEO KAKIKUKE
DATSSUN
あたり前だ一か月も仕事しなかったからな
じつに健康になったよ！
おみやげは空港へあずけてきたんですか？
いや別に……

署長や課長などになにも買ってきてないんですか？
帽子を買ったがロス署の連中にくれてやったなにもない！
先輩！慰安旅行じゃないんですよ公費での研修ですよ！
ま…まずいのか？

署の予算での研修旅行ですからね…慣例としてあたり前です
ロスに着いた時点で金がなくなった買えるはずないだろう！
それじゃこうしよう中川 金をよこせ！
えっどうすんです

この空港で みやげを 買うんだよ 早く!
えっ ここで!

すぐ ばれちゃい ますよ そんなの!
わしが うまくやる だれと だれに 買うんだ!

署長に次長 警ら課長… そして 警務課長 それと 部長にも 当然……
よし わかった あとは まかせろ!

銃撃戦は せめれば ふいうち 守れば 待ちぶせ じつに秋本プロは 男らしいだろ

銃撃戦 相手大募集
キイッ

相かわらず 古くさい 派出所だな ここは……
まさに ニューヨークの ハーレムと あらそうな

あら
部長！
だれが
スラムに
したんだ
両津！
ヌッ

おひさし
ぶりですね
その後
糖尿の
具合いは
どうですか
おまえの
顔みたとたん
悪くなったよ

いやあ
ひさびさに
みる派出所は
新鮮ですな

おっ
わしの机も
ピッカピカ

よごす
主人が
いなかった
からね
わしが
よごす
原因かよ
人をバイ菌
みたいに！

部長 私が いない間 かわったこと ありませんでしたか?
おかげで 仕事が 順調だった 今度 また いってこい アラスカに 50年間くらい

本署には もう いって きたのか
いや まだ!

先に いってこい 署長らに みやげ 買ってきた だろうな
そりゃ もちろん 成田…いや アメリカで 買ってきました

じゃ わたして きます

ピク
ちょっと まて どんなの買って きたんだ みせてみろ

やだなあ ちゃんと 買って きたって!
うたぐり 深いなァ

署長には 酒とリストに かいてありまし たもんで… ズバリ〝酒〟!
ずいぶん 大型な ウイスキーだな
NARITA AIR PORT
ドン

せ…清酒
大関と
かいて
あるぞ……
いや
アメリカで
急いでいた
もんで…
それしか
なくて……
大関

海外旅行で
日本酒
買ってきて
どういう気だ
おまえ!
そこが
めずらしい
んですよ
喜ばれます
きっと!

あと
次長には
京人形を
買ってきました
トン

あとは
全部
だして
みろ!
はい
はい
ガサ
ガサ

警ら課長には
カメラと
今はやりの
デジタル
パックマンゲーム
電池つき
警務課長は
さんざん迷った
あげく
清水焼の
ちゃわんを 買って
まいりました
NARITA AIRPORT

さて
どんじりは
部長ですよ
ジャジャーン

ズバリ
博多帯と
ぞうり
セット!
ビシ

おまえ 本当にアメリカいってきたのか? 東京でかくれてたんじゃないのか?
無礼なこれらはちゃんとアメリカで買った品ですよ!

いわゆる逆輸入品! じつに貴重な品でとても高い物です!!
そこをご理解願いたい!

ひとつきくが包装紙に新東京国際空港とかいてあるのはなぜだ?
ドキッ

ちがいますよ 東京空港とかいてあるんです 北京のとなりの東京に帰り経由したので そこでまとめて……

ばかもの! そんなことでごまかせると思うのか!

おまえは…おまえは全部金 使ってしまったな こいつ!
いたた すいません すいません
気づいたらなくなってたんですよ……
おまえが使いきったんだろうが!

どういう
金の使い方
したんだ
出納簿
みせてみろ
それが
まっ白！
どうも
ああいうのは
苦手で！

警務に
どう報告
する気だ…
しらな
かったんすよ
全部　私に
くれた金だと
思ったもんで…

むこうの署長
あての手紙
ちゃんと
わたして
きたんだろうな
おい！
あっ
あれ…

ちゃんと
ありますよ
ほら……

わたして
こなけりゃ
意味が　ない
だろうが!!
大切な物だから
肌身はなさず
もってろといった
じゃないすかっ
なんのため
アメリカ
くんだりまで
いったんだ
ばかっ！
私だって
わかり
ませんよ
未だに！

あ…
目まいが
してきた
だい
じょうぶ
ですか
部長！
帰国早そう
おこらなく
たっていいじゃ
ないか…
もう！

両ちゃんに
計画的に
お金を使えと
いうほうが
無理よね
そうだよ
おまえらが
一番よく
しってるじゃ
ないか

部長
うちに外国製品が
あるから
それを おみやげ
ということに
しましょう
そうだな
とにかく
署長に
帰国報告に
いかねば……

おい 両津
署へ
いくぞ!
どうせなら
ハワイ旅行の
ほうが
よかったよ
日にやけた
かったし……
ぶつ
ぶつ

ぶつぶつ
いっとらんで
さっさと
こい!
パ
キ
あたっ

秋の交通安全運動

少年課

署長室

そうか
とにかく
無事に帰ってきて
よかった

米国警察の実態
凶悪犯罪都市に
おける治安のあり方など
大変　勉強になったと
申しましてね
そうかね
そりゃ
よかった！

かれが
今回の研修の
お礼に
署長へ
ぜひと……
COGNAC
CAMUS
NAPOLEON

いやあ
すまんね
気を　遣って
もらって…
あれ…
日本酒
は…？
ド

心配してたが
よかった…
楽しかったか
両津くん…

そりゃもう
毎日 どんちゃん
パーティーで
酒びたり！
やつらは
陽気な連中
ばかりでね
金なんぞ
ぶあーっと
使っちゃった
ははははは

えー 今のを
説明しますと
接待で歓迎され
大変 かれらは
おおらかで
日米警察外交を
おおいに深めたと
申してます
ううむ
なるほど
かれも
時差ボケで
大変
つかれてます
また
あらためて…
なに…
時差ボケって?
そうだ
署長に
いい物
もってきたんだ……
なん
だね?
ニューヨーク
ヒルトン
ホテルの
スリッパです
記念に
どうぞ

署長!
じつは
同じヒルトン
ホテルに
大統領が
きていたと
申しました
きっと
大統領の
使用した
大変 貴重な
品です きっと…
本当かね
大統領
のか!!
そういえば
輝きが
ちがう!
失礼
します
ガキッ
いてっ

警務課

えっ
領収書も
なんにも
ないいん
ですか?

はあ
今 申しまし
た通り
強盗にやられ
ましてね

こまったね
決算が
できないよ
領収書が
ないとねえ…
明細を
あとで かいて
だしますので
そこを
なんとか…
は正確に
体験用紙
会計用紙

ほら
おまえも
たのむん
だ!
ふぎゃあ
ゴツ

ぶつける
ことない
でしょう
がっ!
おまえの
ために
やってるん
だ!

決算できんと
実費だぞ
ほら 土下座
しろ!
いててっ

本人も
このように
たのんで
ますので
ひとつ…
検討して
みましょう
署名物
犯罪者つかみ
取り大会近し
署対抗
流血運動会
参加者
募集!!

やりすぎだ なんでこんなやつに土下座すんだ！
おまえがどんぶり勘定してきたからだ おまえが悪いんだ！
なんで両津のしりぬぐいをわしがやるんだ まったく
いやあ おそくなって すまん！
じゃ 始めましょう 部長

両津が帰ってきたとたんいそがしくなってな
ちぇっ

なにはともあれかんぱいしましょう

先輩の帰国を祝って!
かんぱーい
ガシャ
ゴクゴク

ぷあーっやはり日本のビールが一番うまい
ドン
アメリカはバドワイザーだけですからね
いかさし

部長!
ヌッ
なんだよ顔いきなり近づけるな!

じつは部長だけにおみやげもってきたんですよ
なんだとっ
納豆巻

★週刊少年ジャンプ1981年46号

ストップ!!ヘアくん!の巻

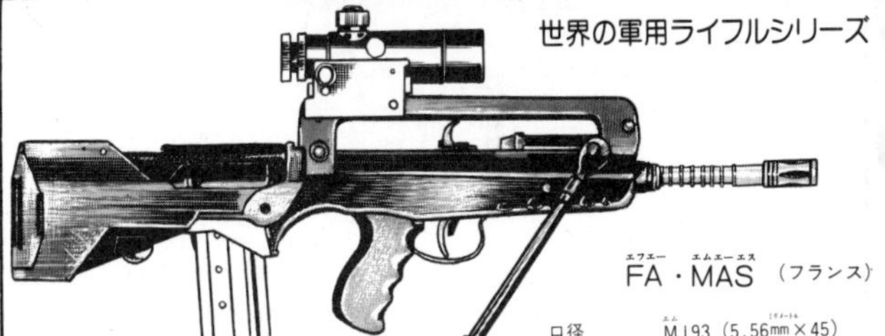

世界の軍用ライフルシリーズ

FA・MAS （フランス）

口径	M193（5.56mm×45）
装弾数	25発
セレクター	セミオート・フルオートのバースコントロール（3発の切りかえ付き

ブルパップ型ライフルの実用化第1号

2脚付きのライフルグレネード発射器も組みこまれブルパップ型（弾装がグリップの後方にあるタイプ）の欠点といわれた排莢孔の問題もエキストラクターが左右どちら側にもつけられるようにして、解決。

ごめんください！おいそがしいところおじゃまします
広辞苑

これがいそがしいスタイルにみえるか！
よい子の自転車

これはどうも！勤務中にマンガなどよむとは前衛的な派出所ですな

おまえケンカ売りにきたのか？
いえセールスですセールスマン

ここは団地じゃねえんだぞ派出所だぞ
〝セールス場所をえらばず〟どこでもおうかがいします

セールスに用は ない！はい 帰って帰って
しっしっ
まそう いわずお話だけでも

わが社の新製品育毛強力トニックです
ドン
輪画社製薬

要するに毛はえ薬みたいなもんか
まあそのような物です

ヘアストップは発育が 非常におそくなり床屋は 5年に一度でOKです
ほかにツメストップこれは爪の伸びをおそくします
開発中に呼吸ストップがありますが
これは一日一回の呼吸でいいというすばらしいものです

わしには 無用だハゲるどころか多すぎるくらいだからな
そんな場合発育を 止めるヘアストップがあります
強力ヘアストップ

いらん
こんな物
必要ない!
これを
上司などに
プレゼント
されれば
あなたの株が
あがります

なる
ほど……

今日は
特別サービス
5千円で
おわけしてます

よし
買った
このトニック!
ありがとう
ございます
これは
強力ですよ

部長も
最近
うすくなって
きたようだし
きっと 高く
買うぞ

今の人
セールスマン
ですか?
なにを
買ったんです
育毛トニック
部長に ひとつ
買ってやったよ

部長に
売る前に
少し使って
みよう

まったく
買った品を
それ以上の値で
売るなんて…
根っからの
商売人だな

いやあ
スッキリするぞ
おまえも
つけるか?
けっこう
ですよ!

それより
パトロールに
いってきます
から………
留守番
たのみますよ

ちゃんと
留守番
して……

どうしたんだ そんな顔して……？

先輩 髪が 少し のびたんじゃ ないですか？
はは まさか……

いくら 育毛トニック だからって こんなに 早く……
あ？

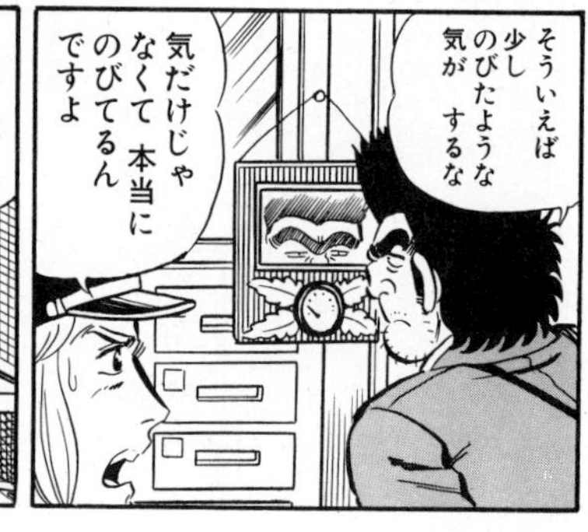
そういえば 少し のびたような 気が するな
気だけじゃ なくて 本当に のびてるん ですよ

もう 秋ね そこで ヤキイモ 買って きちゃった

みんなでたべ……
なんだよその目は!
ズル
どうしたのその頭きのうは短かったのに……
しらんよ急にふえてきた!
セールスのヘアトニックつけたらのびが速くなったらしいんだ
本当?

おいちょっとハサミ貸してくれ
え?どうして

前が見づらくなってきた少し切る!

それにしてもすごいのび方ね
栄養がよくなったのかしらんがよくはえやがるよ
チョキ
チョキ

おいうしろきってくれよ！
いいですよ

うむこれで少しはさっぱりした
消火器
トニックかけすぎたんですよ

ばかいうなほんの少ししか使っとらんよみろ

注意がきがありますよ人によって発育がまちまちですのでヨロシク…と
いいかげんな表示だな

うっ
なんだってんだ！びっくりしたような目でみるな！

先輩 またのびてますよ
なに！

床屋でシャンプーしてトニックをおとしたほうがいいようね
プロにまかせるか！

容室
くそっ床屋代もバカにならねえんだぞ
花屋
花屋 花屋
COFFE
虹脳丸

おっす
12月31日はとこやの日
い…いらっしゃい

当店は初めてですかお客さん
ばかっよくみろオレだよ
あ両津さん

イメージチェンジですか？若者にあわせたりして…
育毛トニックつけたらこんな頭になっちまった

これを機会にサーファーカットでもしますか……？
いらんバッサリやってくれ角刈りでいい

おい高中あのお客さんおまえやってみろ
えっ

ぼくまだ人間やったことないんですよ前の店で失敗してから一度も……
あの人の頭は刈りやすい練習のつもりで気楽にやれ

お客さん今日はいいお天気ですねじつに天気ですね本当に天気がいい天気でして……
さっさとやれよ！のびがはやいんだから

ずいぶん
髪のかたい
人だ
鉄ブラシ
みたいな
頭だ
バサ
バサ
ぐおお…

えーと
角刈りは
こんなもの
だったかな
ぐおお

しまった
うしろを
少し
刈りあげ
すぎたな
ザ・モヒカン
ザ・角ガリ
正面図
側面図
マスクをつけると
よく似あう

といっても
今さら
手おくれ…
ぐおお…
81'ヘアメイク
ヘアカット
総合カタログ
ヘアデザインのための
イロハ

………
………
おかしいな
さっき刈りあげた
はずなのに…

カン違いかな
まあ いいや
今度は
ちょうど
よく…
シャキ

頭を洗いますのでそのままにしててください
おうしっかり洗ってくれよ！
しまった！シャンプーもう切れてたんだ
親方にみつかるとまたおこられる…別なのをさがそう

クレンザーとサンポールか…これでやるしかないな…
いやに頭がしみるぞ
フランス製のシャンプーなので日本人にはあわない人もいるんです

キュキュ
さあ おつかれさまでした

ぎょっ

お客さん いれかわりましたか? さっきの人ですよね
なんでえ 全然頭かわらねえぞ!

切っても切ってもきりが ない
タマネギみたいな頭だな……
チョキ チョキ チョキ チョキ チョキ チョキ チョキ チョキ チョキ

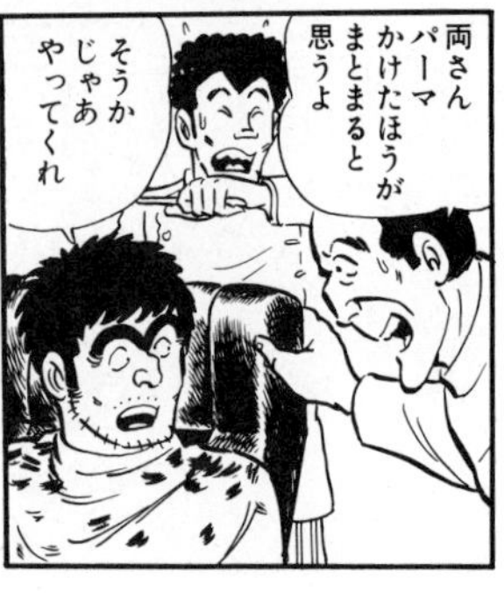
両さん パーマかけたほうがまとまると思うよ
そうか じゃあやってくれ

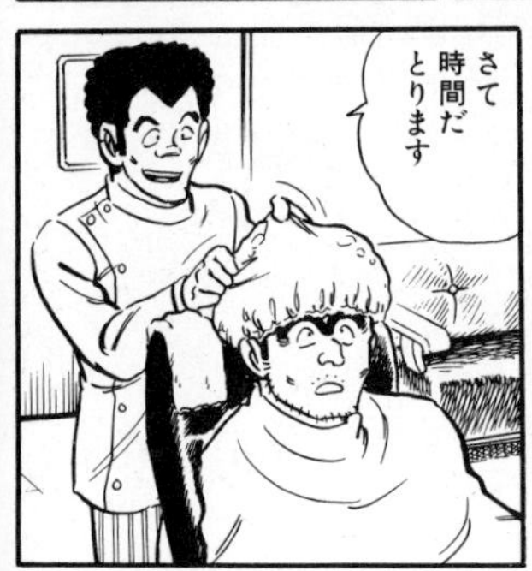
さて時間だとります

ボム!!
わっ

す…すごい まるで ポップコーン みたいだ
なんだ! この頭は!

こんな格好で 外 あるけるか!
小柳トム かよ!
ひいっ マタンゴ!

あっ おまえは いつかの 床屋の 見習い!
えっ!?

ひいっ あの時の おそろしい 警官だ!
まて このやろう!

執念深さは
人にゃ
負けねえぞ
おかえしだ
ビビイイイ
ぎゃあ
ーーっ

そうか!
あの
セールスマン
さがして
とめる薬を
さがしゃ
いいんだ!

おやじ
金は
署に
つけとけ!
ダダ
なんと
おそろしい……
走る
カリフラワー
うおおん
ぼくの
髪が!
うっう……

フルーツ
パーラー
ざんげ
ぎゃああ
ーっ!!
うおっ
ばけ物
くそっ
この頭じゃ
目立って
いかん!

おい
帽子を
くれ！
ぬっ

なんか
よけい
目立った
気も
するが…
まるで
変質者だ

いたっ
あいつだ
!!

まてっ
このやろう
うわっ
変態！

ガッ
ガッ
ガッ
インチキ商品
売りやがって！
この頭
どうすんだ！
だから
強力だと
いったでしょ
あなたの場合
特に
ききすぎたん
ですよ！

亀有公園前派出所
さわってごらん
ウンコだよ

それが
その……
止める薬と
いうのが
つくられて
いません

ヘア
ストップ
というのが
あるだろ
あれで いい
これは
ふだんの髪の
状態でのことで
お客さまのように
薬による発育
ですと………
つべこべ
いわず
貸して
みろ！
あっ
ザッ
どう
です？
うむ
とまった
気が する

★週刊少年ジャンプ1981年49号

タノシー・ドライバーの巻
TRIO
MAZDA
RX-5
ゼッペキキャロ
たった20馬力.R2より.
広辞苑
辞典
TRIUMPH

できた！

みろ すばらしい できだ
なんですか それ…？

前が ポルシェ ドアが カウンタック 後が スカイライン GTR 内装がスバル360
名付けて ポルンタック GTR360 両さん型だ

古いプラモを合体させ2度 楽しめるこれぞ省エネプラモだ！
よく考えますね

今度は自転車プラモにパテを ぬってスズキ・カタナにしようと計画してるところだ
すきにしてください

お巡りさん 変なタクシーがいますよ
なんだと？
広辞苑
辞典

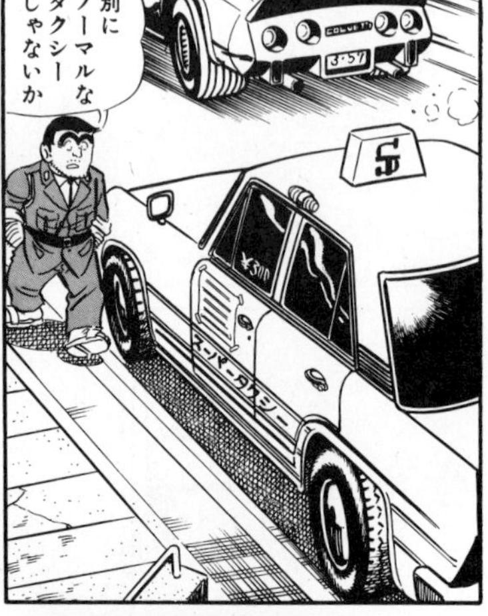
別に
ノーマルな
タクシー
じゃないか
スーパータクシー
¥300

なんだ?
¥300
セルフタクシー
ご自由に運転
して下さい
(免許ある方に限る)

なんと
横着な
タクシー
だな
まったく
ですね

本当に
だれも
いないな
空車
料金箱

あっ

おい
でられなく
なっちまったぞ
グイ
グイ

おーい！ひらかんぞこら！
ドン
ドン

うーむ うるさいなあ

ねむれねえじゃねえか まったく！
ガタ
あっ 運転手がこんなところに！

ここはどこだ？
亀有だよ……

昼は横浜だったがなア…… どれ どれ

ひィふゥみィ……と 今日は 客があんたで 6人 35800円か…… まあ まあだな……
わしは客じゃないぞ とじこめられただけだ

こまるな
お客さん！
一度 乗ったら
走って 料金を
いれないと
ドアが
ひらかないん
だよ………
そんな
タクシー
みたこと
ないぞ

ちょいと
まってな
今 動かして
やるから
そんな
ところにも
ハンドルが
あるのか……

ブロロッ
キイッ
スーパータクシー

はい
そこに
いれて……
300円
ばかな！
2メートルで
300円かよ！

お金
いれないと
ひらかないよ
くそ！
まるで
サギだ！
料金

ガタッ
なにが
あったんです
いったい？
しらん間に
金を
とられち
まったよ！
スーパータク

さあて
自分で
運転して
社に
もどるか

やはり
納得いかん
300円返せ!
300円!
いたた
たた!

メーターに
でちまってる
から 無理だ
社長に
いってくれ…
そういう
ことは!
よし
いってやる

中川
おまえも
こい!
タクシー会社に
いくぞ!
300円くらいで
そこまで
しなくても!

ゴオオオオ…!

お客さん
そこのハンドル
さわると 車が
まがっちまうから
気イつけて
くれよォ
ほう

ダメと
いわれると
なおさら
やりたく
なるのが
人情……
こらっ
本当に
あぶないぞ

スーパー
タクシー
株式会社
スーパータクシー
K.K
ギャギャギャイイイ
ギャギャ
シャー
うひょーっ
おもしろい
ふたり
気を
あわさんと
まっすぐ
すすまんな
キュキュキュッ
ギャイイッ
うわっ
ムチャ
するなよ
まったく~!

社長は
どこに
いるんだ
!?
2階だよ
2階の奥
!
ガッ

中川
いくぞ
!
もう

スーパータクシー
なんだ
こりゃ
!?

前が
ワーゲン
後がベンツの
ようですね
う～～～む
現実に
やるやつが
いるとは…

むこうが
2枚ドアで
こっち側が
1枚ドアか…
変態だな
こりゃ
ーパース

さあて
仕事に
いくかな

あんたの
車か？
こりゃ
……
はい
日本に
ただ一台
ですよ
これは……

初めは ベンツの
タクシーに
しようかと
思ったのですが
個人的には
VWが すきでね
それじゃ
まぜようかと
思って……
簡単に
いうなあ

ズ
ボボボボボ
あぶないよ
どいて！
どいて！
スーパータクシー

ここは
奇怪な
車ばかし
いるなあ
本当に
営業して
いるんです
かね？

とにかく社長室にいこう!
社長室
おい社長っいるか!
バダ

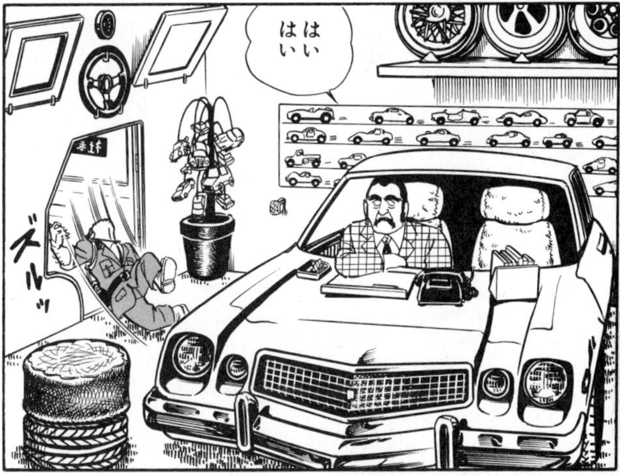
はいはい
ズルッ

よいしょっと
なにかご用ですかなお巡りさん

筋金いりの変態だっこれは!

それは申しわけない あの車はまだ 実験中でしてね
まっ金さえ返してもらえばなにもいうことないがね

この会社はかわった車が多いですね理由があるんですか?

タクシーの運転手というのはじつに 神経を使う仕事です ずっと 車の中ですからな
だから自分にあった車を使うのが 一番! それが わが社の主義です

セルフタクシーに免許確認装置をつけないといけないな
全部社長さんが考えたんですか?
はい! 将来はあれを無人化することが理想です
使いすてレンタクシーとでもいいましょうか

おもしろそうだなほかにもいろんなのあるのか?
みますか? こちらの研究室にあります
研究室

これはお年寄りむけ純和風車！
すうぱあたくしい号
たくしい
すごいかわら屋根だ……！

室内は全面タタミかどうやって運転するんだ

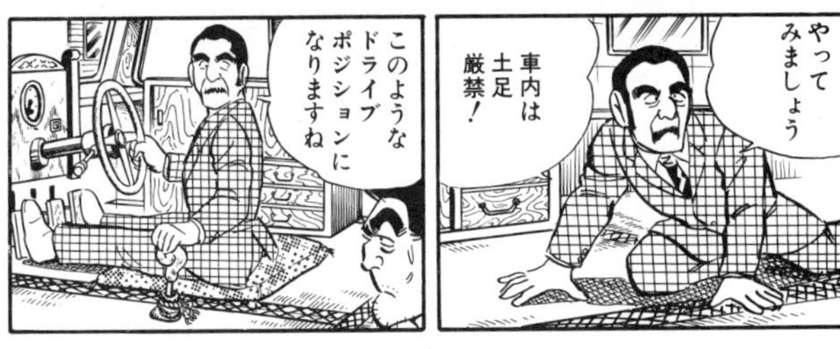
やってみましょう
車内は土足厳禁！
このようなドライブポジションになりますね

カーブなどでころがったりしないか?
その場合座椅子を使用します

ほりゴタツも考えてましたが夏場は暑そうで…

先輩早くもどらないとおこられますよ
そうか

それじゃわが社自慢のタクシーでお送りしましょう
事故を起こした場合
絶対こっちから
あやまらない!!

中村くんかれらを送ってくれたまえ
はい社長!
ーシスターパース

すげえな
ロールスロイスか…!?
特別料金じゃないのか?
いえ
同じ
430円です

お客さまは
V I P(ビップ)と
同様!
お客さまあっての
タクシーです

ゴロリ

どうぞ
お乗りください
政治家にでもなった
気分だ

すごいな
毛皮が
ひいてある

これが
車の中
か!?

カクテルはご自由に どうぞ
本日の映画は「男はつらいよ」です………
松竹映画
いたれりつくせりだ！

それでは出発させていただきます

ブーッ
ッ

ブロロロ
スーパータクシー

全然ゆれないぞ
酒が グラスにいっぱいでもこぼれん…

そこがこのロールスロイスたるゆえんです
名実とも世界一です

こんな超高級車で430円なんて採算がとれるのか？
赤字ですよ しかし タクシーのイメージアップになるでしょうね
スーパータクシー

そこがあの社長のユニークなところなんですよ
ユニークすぎるよ

あっ
KAWAKAMI

事故だ！
キイ

おい
大丈夫
か!?
早く
病院へ
連絡を!

私の車に
乗せな
さい!

しかし
……!
この近くに
病院がある
この車の
ほうが
早い!

パッ

すごい！スピードがでるなァ！

高速になればスポーツカーなみの性能です
もうすぐつきます

安心病院

安心病院
いやおかげさまでたいしたケガじゃなさそうだ
それはよかった

さすが名タクシードライバー
この道20年ですからね

これからのシーズンはオープンカーがほしいMGがほしい!エスハチがほしい。ジープでもいい私のオープンカーはGL400しかない

まったくユニークなタクシー会社だったな中川

こんにちはいますか?
おっ社長じゃないか!

今度の新開発タクシーですよ渋滞にはバッグンのロボットかごタクシー
そんなのが町中を走り回ったら気味悪いよ
ガチャ
ガチャ
スーパータクシーKK

★週刊少年ジャンプ1982年16号

hart
hart

大スキー!!の巻
NAKAGAWA

ヴッヴッヴッ
ザザザッ
中川！両津たちはどうした!?
まだきてないようです
まったくなにやってるんだあいつら！

ニコニコ

先輩 おきてくださいよ 先輩!

うーむ うるせえなあ……

なんだ 本田か なんの用だ?
なんの用かじゃありませんよ 今日からスキーにいく約束してたじゃないですかっ

先週 みんなで冬休みをとって計画たてたでしょう!
そういえば約束してたっけ…?

パスする
ゴロッ
こんな寒い日すきこのんで雪とたわむれにいく気せんよ
今さらだめですよ そんな!

部長さんたちは先にいってまってるんですから!
ねむいんだよ… パスパス

ぼくが先輩担当だからどうしてもつれてきますよ!
しつこいなおまえも!

おい ちょっと まてよ! シャツと パンツで スキー場へ つれていく気か?
着がえや 道具は行きがけに そろえれば いいですよ
ドドドド
うひゃ さびィ
鴉鷺文具
品店
地球最期のスポーツ用品
スキー用品・サーフボード・スポーツ
スキー用品
オートバイで こんなに 荷物をもって いく気かよ!?
4時間 くらいで つきますよ 目いっぱい とばして いくから…
おまえも 身に つけていけ 手ぶらで すむ
えっ
板も つけて いくんですか…
そのほうが 現地に ついてから 楽だろう

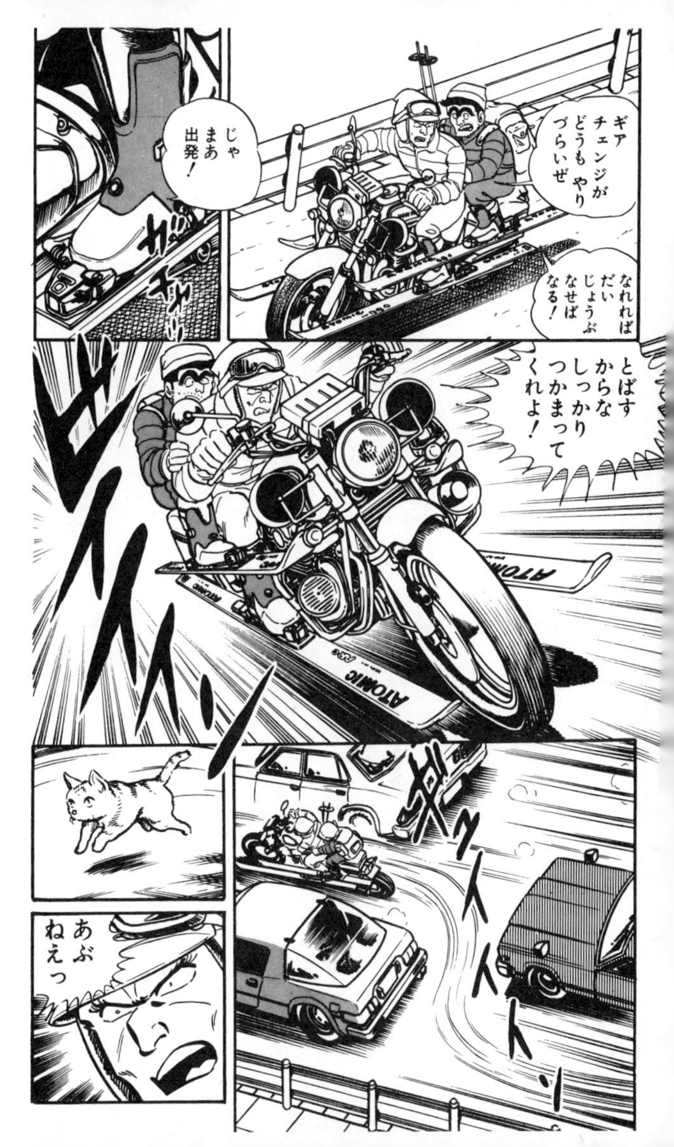
ギア
チェンジが
どうも やり
づらいぜ
なれれば
だい
じょうぶ
なせば
なる！
じゃ
まあ
出発！
ガ
チャ
とばす
からな
しっかり
つかまって
くれよ！
ギュイ
ATOMIC
ATOMIC
キュイイイイ！
あぶ
ねえっ

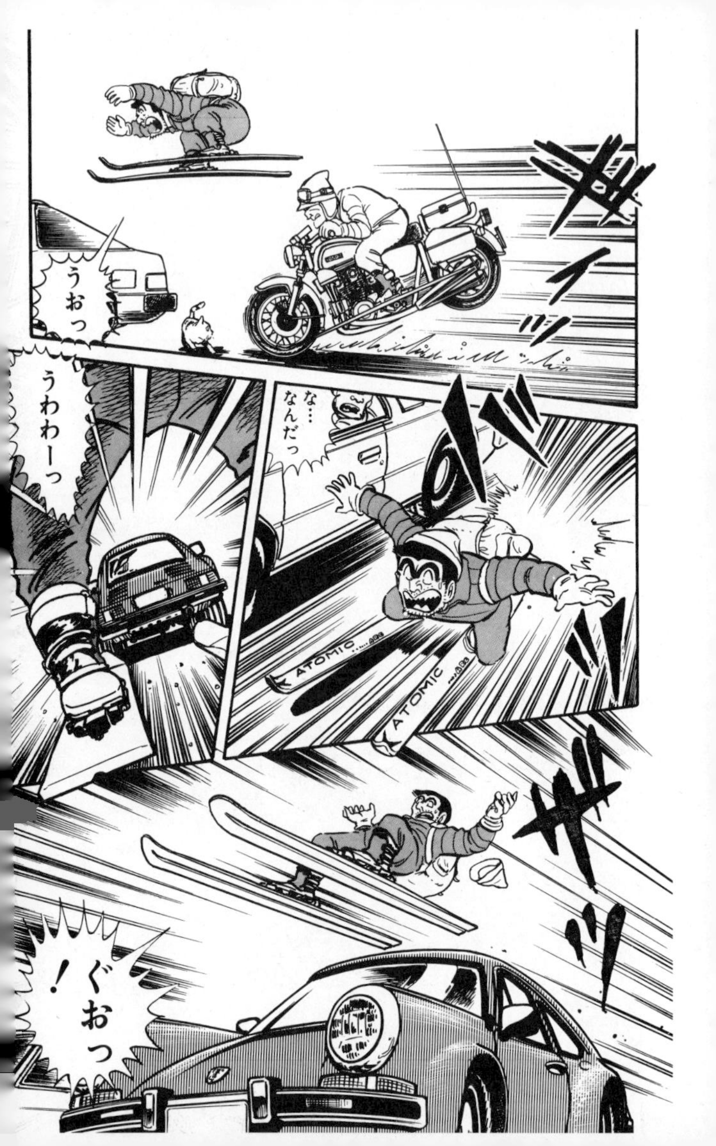
うおっ
な…なんだっ
うわわーっ
ぐおっ！

ちばた焼
北海
一割引!
ごはん 150
ライス 150
めし 150
ちばた焼
北海
ダンナ だいじょうぶか!
もっと安全運転しろ!
早くおろせバカ!
ずいぶんこんでるな 全員スキー客かよ!
スキーは今が一番だからな
ATOMIC
HONDA

ギギィ
あっ キズが!
こっちも やられた!
こらっ まて!
おい こいつ
ブロロロ
ダンナ ストックじゃまだよ しまっててくれよ
うしろは荷物が多くて大変なんだぞ!
カチャ
カチャ
ガッ
キキッ
あっ!
おせえな 前 いったい なにやってるんだ!

みろ！おまえがゴタゴタぬかすから人間 ひっぱたいたじゃないか！
もっと前方をみろよ！
原因はおまえがこんなせまいところ通るからだなんとかしろ！
いててわかったわかった

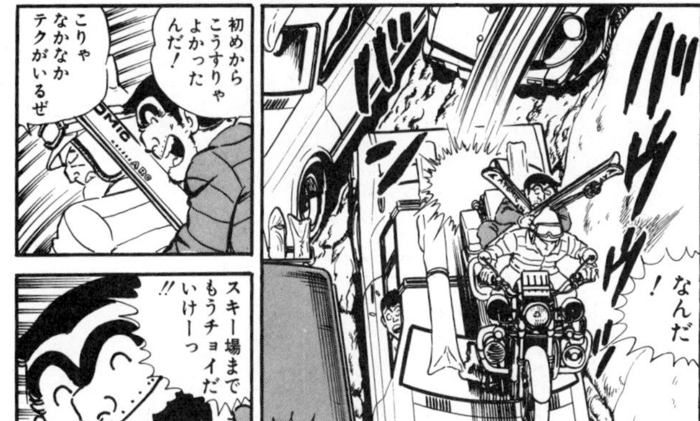
なんだ！
わっ
初めからこうすりゃよかったんだ！
こりゃなかなかテクがいるぜ
スキー場までもうチョイだいけーっ!!

部長
そろそろ
旅館に
もどりま
しょうか
そうだな
少し
やすもう
それにしても
先輩たち
おそいです
ねえ……
いっそ
こないほうが
しずかでいい
よ……
おーい
ブロロ…
あっ
あれは！
両津連隊
ただ今
到着！
なんだ
そりゃあ
ズザザザザ

雪上オートバイスキーというのを実用新案いたしましたその実例
相かわらず奇妙なことをするやつだ！
よくも まあオートバイでゲレンデまできましたね
スパイクタイヤをはいたんでなれるまで時間かかっておそくなっちまったぜ！

なんだおまえもきてたのか！
ワン
寒さには人間より強いからね！
あれすべらないんすか？
もう十分すべったこれから旅館にもどるところだ

旅館とはなかなかしぶい
おまえがしつこくいったんだろうがホテルより旅館がいいと！
あれそうでしたっけ？
これだから やりきれん
先に いっとるからな！あとからついてこい
グロロロ…
ちぇっ車は 楽でいいよ

キイ

本当に
しぶい旅館
だなあ
山水館
さんすいかん
山水館
おかえり
なさーい

部長
あっしたちの
部屋は
どこですか
おまえ
ひとりだけ
ドクダミの間だ
イビキで
他の者が寝不足
になる
スキーはたの

スキーに寝不足は
事故の元
わしらは竹の間
藤の間にいるが
あまりくるな
人を
バイキンくん
みたいに!

お客さん
ドクダミの
間は
こちらです
ずいぶん
遠いんだな
まるで
独房だ

露天風呂は夜10時までですよ
それじゃごゆっくり
そうか！混浴風呂があったんだ！
それで旅館をゴリ押ししたんだっけ

これこそスキー旅館の楽しみ！やったね！
ぜひ本田をさそってひとっ風呂いこう！

ちょっとまだユカタが……
いいから早くこい

おや本田はどうした
今先輩らしき人がつれていったようですが？
本田もつきあう友を選んだほうがいいな……根がマジメだけに

いやだなあ混浴なんて女の人がきたらはずかしい
そんな事いってるから女友だちもできんのだ！わしが教育してやる！

岩かげに身を ひそめてまつのがプロだ気長にまつ
こんなところでじっとしてるんですか?

酒を チビチビやりながらまつんだ調理場から部長のツケでもらってきた
なんと用意がいい……

天然熱カンだオチョコがねえから 本物の手じゃくだぞ手をだせ
ぼくあまりのめないいんだけどな
トクトク

まだだれもはいってこないのかあゆだっちまうよォ
そ…そのようですが……あつい……体が 外と内からあたたまってる

本田 少し雪とって風呂にいれろうめるんだ
えっ雪…?

こんなことしてまでみたいのかな……
うおーっ雪の上気もちいい
ジュウウ

おっ
むこうにも
野天ブロが
あるぞ
そういや
風呂がいくつか
あるって
いってたな
こい！
みんな
むこうに
いってるんだ
また
ですか…

こっちは
少し
つめたい
ですよ
先客が
雪で
うめたんだよ
すぐ
あったまる
ザブ
ザブ

先輩
よってるから
わからないんですよ
完全に
水ですよ！
なんだと！

一升
ぐらいで
酔うはず
ない…
ありゃ

ばかやろう
変なところ
さわるなっ
バシャ
うぷっ

ぼくの手は
ここですよ
さわれる
はずない
でしょ
なに？
すると
この動いて
いるのは
なんだ？

なんだ
こりゃ?
パシャ
コイ
ですね…

なんで
コイが
温泉に
はいってる
んだよ!
しりま
せんよ
そんなこと

古い旅館
だから
トイレが
遠くて困る
なあ 中川

部長
あれは
まさか…
うっ

おい 両津
池の中で
今度は なにを
始める気だ
こらっ!
げっ
池の中
だって!
だから
おかしいって
いったのに
もう いや!

まったく スキーに きても 目のはなせん やつだ

おまえの おかげで 本田が カゼを ひいて しまったんだぞ

おまえは がんじょうで カゼひとつ ひかんからな!
じゃ どうすりゃ いいんすか

おまえも 本田と 同じ目に あって 反省しろ

部長〜っ!! これじゃ カゼひく前に 凍死しちまうよ〜〜〜っ
だいじょうぶ おまえの 体なら その程度 朝メシ前だ

★週刊少年ジャンプ1982年10号

山は友だち!?の巻
FORD

いえい!!
ざっ
ざっ
すたっ
ずざっ

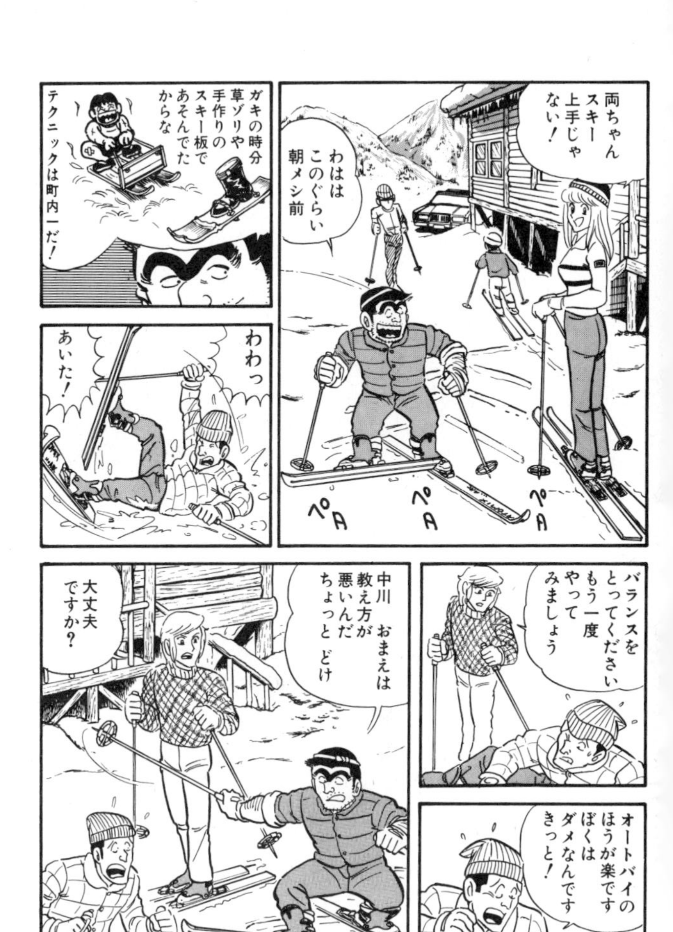

両ちゃんスキー上手じゃない!
わははこのぐらい朝メシ前
ペタ
ペタ
ペタ
ガキの時分草ゾリや手作りのスキー板であそんでたからな
テクニックは町内一だ!
わわっ
あいた!
バランスをとってくださいもう一度やってみましょう
中川おまえは教え方が悪いんだちょっとどけ
大丈夫ですか?
オートバイのほうが楽ですぼくはダメなんですきっと!

スキー板が
おまえには
長いんじゃ
ないのか
そう
ですか
その場合
切ったほうが
いい
ギーコ
ギーコ
あっ
どうだ
軽く
なったろ!
これじゃ
すべれ
ませんよ!
とにかく
やって
みろ!
ドン
うわっ
ツァアア
わっ わっ
ぶ・つ・か・
る!!
ふつう
必死で
よけるもん
だがな
ムチャ
しないで
くださいよ

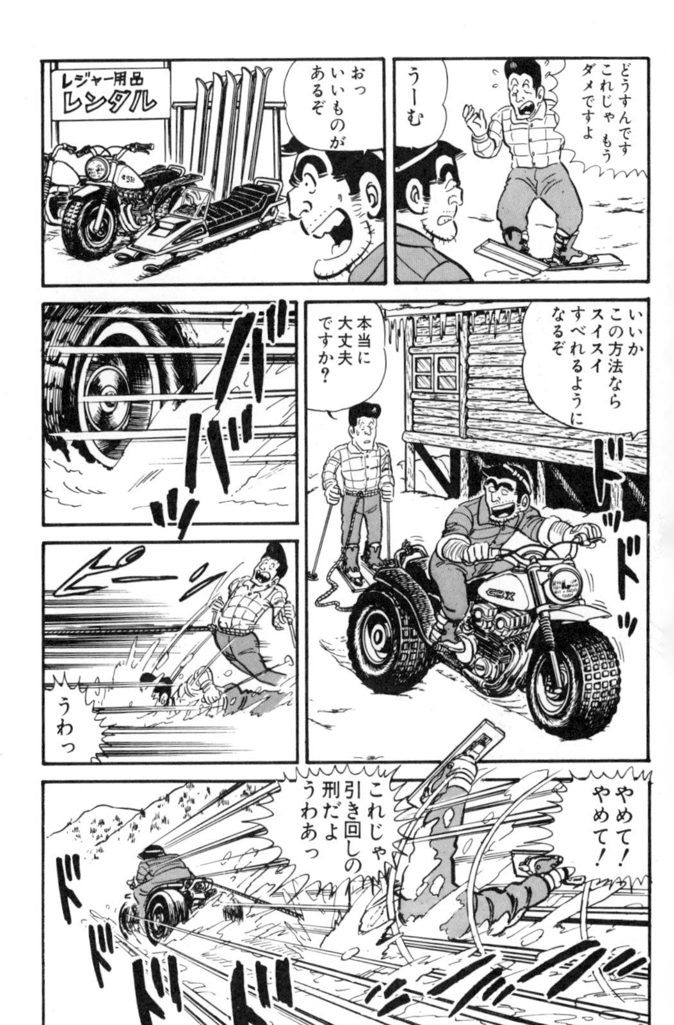
どうすんです
これじゃ もう
ダメですよ
うーむ
おっ
いいものが
あるぞ
レジャー用品
レンタル
いいか
この方法なら
スイスイ
すべれるように
なるぞ
本当に
大丈夫
ですか?
ドドッ
ドドッ
ババババッ
ビーン
うわっ
やめて!
やめて!
これじゃ
引き回しの
刑だよ
うわあっ
ドドドドド
ババババ

ワン ワン
いやに重くなったたな？
あっ
本田中にいるか！
しっかりしろ！今だしてやるからな！
ザ ザ ザ
おっ生きてたよかった
もうスキーはいやだ
人間は七転び八転びだもう一度
やだーっ殺される
先輩食事ですよ
ちぇっくそ！

毎年 スイスへいってるんですが国内もたまにはいいもんですね
昔はスキーなど金持ちだけのぜいたくな遊びだったからな
部長のころは日露戦争のおわりでしょう
こんなスタイルで…
ばかものそんな古くない!
雪をみながらの食事ってのもいいもんですなははは
ワン ワン
ん?

おまえまで高級レストランにはいるとはなにごとだ
あっちいってろしっしっ
いいじゃないですかかれもここで食事させてあげましょう
ばかいうなっそんなことしたら店の人におこられるぞ

オーナーのぼくが いいといってるんだから大丈夫ですよ
だからいくらおまえがオーナーでもだな
えっなんだ!?
おまえの店かここは!

このホテルも
この辺一帯も
中川コンツェルンの
一部門なんですよ
留学する前 よく
ここにきました
じゃ
わしたちは
おまえの家の
庭で遊んでる
ようなもの
じゃないか
…………

わしら
一般庶民と
中川とじゃ
生活レベルが
ちがい
すぎる
お釈迦さまの
手にいる
孫悟空
みたいな
もんだな…

おい本田
メシ たべ
おわった
か?
え?
まあ…

じゃ
さっそく
特訓だ!
部長
リフトで
上へ
いって
ます
あっ

おでん
片岡薬局
おでん

本田さん
あれじゃ
気の毒
ですね
うむ
さそわない
ほうが
よかったかも
しれんな

先輩！
ふぶいて
きましたよ
もう おりま
しょうよ！
これ以上
上へいくのは
いやだ！
だれも のぼって
いないよ！
もっと上
これが
最後だ
わしが
ついてる
心配すんな
おまえが
人のいない
ところで
練習したいと
いったんだろ
天候が
あれてきたわ
ロッジへ
もどり
ましょう
ザザ
そうだな

先輩たち
大丈夫かな
早目に
もどってくれれば
いいけど

これが
直滑降の
スタイルだ
わかるか
全然
みえない
ですよ
〜〜〜っ!!

初心者には
ちょっと
天気が
おもわしく
ないな
だから
リフトで
おりま
しょうよ
早く!

わしも
さっきから
そう思って
いるんだが
どこにリフトが
あるのか…
えーっ
じゃあ
遭難じゃ
ないスか

人ぎきの
悪いこと
いうな!
ちょっと
場所を
忘れた
だけだっ
それを
遭難と
いうんです
世間では!

ゴオオオ
うおお
——っ
わあっ

なに!
もどって
こない

女性10人のメンバーでふたりがまだ 帰ってこないと…！
この吹雪じゃヘリもとばせません
雪がやまないと無理です
先輩ももどらない
計4人が行方不明か…

雪上車を使ってさがすんだ
会社に連絡して大型ヘリを至急 こっちへ急行するよういってくれ
はいっ
え？あなたが!?

圭ちゃん この犬ならさがせるかもしれないわ
！
よし 協力してもらおう

山は 高い
人家は 下だ
だから下へ
おりれば
たすかる
わしの頭は
並でない
スペシャル
デラックス
わはは
なるほど
先輩
さすがだ
ズボ
うおっ
どこが
デラックスな
頭ですか!
あいたた
ATOMIC
弘法の
川流れだ
ちくしょう!
まっ平な
所では
私の理論は
なりたたん
ひとまず
嵐のやむのを
まとう
おや?
あんな
ところから
光が……

まさか
雪女でも
こんな
ところに
………

ゴチ
ごふっ

あっ
人間
だわ!
あっ
人が!?

ごめんなさい
クマだと
思って
思いきり…
こんな
男前のクマが
いるかよ
いてて……

どうして
きみたち
こんな
ところに
いるの?

コースから
はぐれて
しまったの
吹雪が
やむまで
ここでまって
ようと思って

足を
くじいち
まったのか
いたいか?
ええ
少し
……

でも たすけが きてくれて よかったわね ヒロコ
本当 もう 安心ね

いや！ こっちも 迷ってる ところ…
あいた
ゴキ
しゃべるなっ バカ！

え…… あなたたち も!?
いや！ 我われは 救援隊だ もう 心配ないぞ

バカが！ 迷子と いったら 相手が よけい不安に なるだろ！
ぼくは ずっと 不安ですよ

そこで まってろ わしが 下へいって 連絡してくる

あっ

おまえ よく ここが わかったな
ワン
うわっ よかった

おっ
無線機が
はいってる
うわっ
たべ物も
ある

もし
もし
だれか
いますか
ガー

こちら
両津だ！
今 ホラ穴で
休んでる
他に女2名
ひとりは
ケガしてる
おる！

大至急
そちらへ
むかいます
そのままで
まってて
ください
ガー
ガー
やった
ぞ！
本当に
たすかっ
た

どう
したんだ
いったい？

うわっ
クマだ
！
きゃあ
ーっ

ちくしょう たすけがくるってところに!
おまえら奥にかくれろ 動くんじゃないぞ!
えっ 先輩 どうする気ですか?

やるだけやってみるあいつと!
ムチャだ かなうはずない!

心配するな 力と体力にゃ自信がある
勝負ってのはやってみないとわからん!

ガウウゥ

おまえは本田といっしょにいるんだ
ブン

スキがあれば 本田は女の子かついでにげろ!
オレにかまわずいけよ!

先輩!

ビュウウウウ

ザク
ザク

たしか
このあたりの
はずですが
…………
うむ
……

あっ
あれは
?

先輩たち
だ!!

よかった
みつかって
!
ケガ人が
いるんだ
たのむ

はい
そうっと
中へ……

どうしたん
です……
そのクマ
は!?
どうも
かわれてた
クマらしい
人に
なついてるんだ
こいつ

★週刊少年ジャンプ1982年11号

寺井家訪問の巻

なにっ家を建てただと！
ようやく今年から入居できました…建て売りですけど
そうかそれはよかった！

その家ってのは3年くらい前に不動産屋行脚してた……あの時の話か？
そう！その後いろいろな物件を みてね 去年の末 ようやく
3年もずーっとさがし続けてたのか執念深い男だな
てっきりあきらめたと思ってたぞ
両津 家というのは慎重に慎重を 重ね納得いくまでさがすのが本道だ

おまえみたいにプラモでも買うごとく軽く決めてしまってはあとで泣きをみることになる！
どうして私を引きあいにだすんですか！
今度非番の時に一度 あそびにきてください
そうかぜひ そうするよ

家は
どこに
あるんだよ
千葉か?
それが
安い物件を
さがしてる
うちに
奥へ奥へと
いっちゃってね
なにせ
予算が……

結局
どこなんだ
はっきり
いえよ
国境ケ台と
いうところ
だけど
しらないだろ
たぶん…

部長
しって
ますか?
いや
きいた
ことは
ないが……

今 地図
かくよ
途中で
迷うと
帰れなく
なるからね
あそこは
………
富士の
樹海に
すんでるんじゃ
ないだろうな
I LOVE YOU

亀有公園前派出所

ボオオーーッ

ガターン
ガターン
ずいぶん乗るんだな…まだか?
ちょっとまってくださいよ 今通りすぎた駅が最はてケ丘でしょ…

次が国外台ですよ そこでまた単線に乗りかえて3つ目!
いやはやまるでハイキングですな

なんせ土地が坪500円といってましたからね
なんと500円だと

二百坪も買ったらしいですよ…… 10坪買うと1坪ついてくるんだって……
どういう不動産屋できめたんだあいつは…

国境之駅

国境之駅
トイレとまちがえそうな駅だな……
えーと駅前にバス停があるはずだがあっ!
そうとう悲惨な駅だ
次のバスはなん時なんだ両津……
ただ今調べてますえーと

1時5分およそ2時間後……
そんなにまつのか…
ブロロロ…
プスン
パスン
プスン

国境
銀座前です
ギイイ

えらくゆれるバスだよまったく
発車オーライ

ブオオオオ
うおっ
ごほっ ごほっ

今どき木炭バスなどと…すごいところだな
初期のちばてつやの世界ですな

それにしてもここは中古車センターなんですかばかに車が多いですよ
うむ

どうも
部長
こっちです
こっち
おまえ
マイカー
もってたの
かよ!?
この辺じゃ
車が
ないと
生活でき
ないからね
あっ
せまい
ですが
部長
お乗り
ください
駅まで
お迎えに
きてくれりゃ
いいのに…

スーパーまで
買い物いくのにも
車で30分
小学校が車で40分
一番近い
バス停まで
1時間……
一家一台と
いうより
ひとり一台の
時代ですよ
ここは……

ずいぶん
遠いな!
ブロロロ…

さっき
バス停に
あった自動車は
通勤用か?
とても
自転車じゃ
無理だからね
サラリーマンは
全員　車を
つかってるよ
それなら
駅まで車で
行けばいいじゃないか……
駅までは
大変だよ
ガソリン代も
バカに
ならないよ

ここは
大手の中古車
センターが
あって
8000円から
軽自動車が
買えるんです
まさに
自転車感覚
ですよ
だから
最近　バス停前
放置
自動車公害が
問題に
なってきてるんです……
東京より
すごいな
こっちは…

つきました
ここです!
キュ

ほう
広びろして
いい家だ
うむ……
いやあ
おはずかしい
広いだけが
とりえですよ

本当に
………

まわりも
広いな
太平洋
ひとりぽっち
って感じ
だな……
ここも
2年後には
新興住宅が
建ち並ぶと
いってましたよ

これが
その予想図
地下鉄が
もうすぐ
通ると
こうなります
あと2年!
わずか 2年で
そうなるとは
思えん…!

すごいことに
地下鉄の駅が
うちの前なんです
この家を中心に
ニュータウンが
広がるといって
ました
できすぎた
話だな
地下鉄
予定地

まあ
どうぞ
中へ…
そう
だな…

おや なんだ こりゃ…
本署
電車
バス
6:00→9:05→10:00
10:00→11:05→14:00
14:00→15:05→18:00
スーパー休み とこや休み
毎月2の日 毎週月曜
乗りつぎ時刻表だよ 一本おくれると冬など凍死しかねないからね
長距離出勤者必読のものだな……

なかなかおちついた居間じゃないか
私もここが気にいってきめたんですよ

これで 寺井も名実とも一国一城の主となったわけだな よかったな
いやあ これからローンと共同生活ですよ
遠くからわざわざいらして頂いてすみませんね
まさにピタリのことばですな ここは はっははは

あっ　そうだ　これ　新居祝いに　派出所の仲間から　ささやかなプレゼント
まあ　そんなに　気を　つかって　いただかなくても…

やっぱり！　だから　私も　気を　つかわず　手ぶらでと　いったのに　部長が……
いて！
パシ

おじさん　こんにちは
ガラ
よう！　いつか動物園に　つれてった　ボウズか　大きくなったな
おじさん　庭で　あそぼうよ　いっしょに…
よし！　やろう
両津には　子どもの　相手が一番　あってるな

そりゃ　おかしいな　今月分は　払ったのに　…
ん？　どうか　したのか？

住民税なんですが……　2度とりに　きてるんですよ
固定資産税も　払ったはず　なのに　また　係の人が　きてるらしくて………

それはおかしいわしが係員にきいてやる!
すみません
どうもご主人いつもニコニコさわやか納税
この地区担当の金取です
わしは主人じゃないがなたしかに奥さんは払ったといってるぞこれが受けとりだ
はいちょっと拝見しますよ
これは隣の県の分ですよ
うちの分はまだ未納ですからね
なに?どういうことだそれは…
地図で説明しましょう
この地区は川を埋めたててつくったところで川が県境になってますので丁度この家が境目にはいってます
こちら側52%がわが県で48%がむこうの県です

具体的に
おしらせ
しましょう
ちょっと
おじゃま
します

ここが
こうなって
まして…

台所　トイレ
フロ場が
こちらの県で
居間　寝室が
むこうの
県です
電話料金は
むこうの県ですね
ガス水道料は…と
うちの県に
払ってください

部長！
どうしま
しょう
これは
不動産屋に
すぐ　問いあわ
せたほうが
いいな

あと
年金と
国保の問題
ですが……
ご主人は
一日のうち
どちらの県に
いる率が
多いですか？
ちょっと
まって
ください

ズガァアッ
わっ
なにごと
だ!?

ばかやろう
もう 少しで
あたる
ところ
だったぞ!!
どうも……
ゴリラと
つい 見まちがえた
ものでまさか
ここに 人家が
あるとは……
去年まで
畑だった
のに……
どうした
両津!
大丈夫か!?
あぶなく
2階級特進
するところ
ですよ!
ここは
禁猟区に
なってると
不動産屋が
いってたん
ですよ
おかしいな
どれ どれ
本当だ!
禁猟区に
なってた
気を
つけろよ
まったく

猟区は隣の県だから…こっち側ならいいわけだ
おいジョンこっちだこい！
キャーン

状況はあまりかわりませんね
寺井今すぐ不動産屋に電話しろ
山鳥だ！

ぎゃ

ガガガ
ズガガガッ
うわっ

やあ
銃友会の
打木さんじゃ
ないですか
そんな
ところに!
ここが
一番の
ポイントに
なってます
からな
去年も
この場所で
キジを2羽
とってますよ
ははは
すばらしい
ぜひ
私たちも
ごいっしょに

今年は
なにやら
家が建って
やりにくい
ですな
犬を放すと
どうしても
ここで鳥を
ポイント
させますよ
ここの
フロ場の前に
鳥が あつまり
ますな
あのう
さわやか
税務署
ですが…
あとに
しろ!
まて!
寺井
電話
番号は!?
えーと
04887
…………

まったく
えらい
ところに
家を建てた
もんだよ
まるで
戦場
だな

えっ
不動産屋が
つぶれた
!!
そんなっ
え!?
インチキ
不動産が
ばれて
逮捕!?
ますます
悲惨に
なったな…
ドガガガッ
ぐわっ
どうも
すいません
つい 暴発
しちまって
………
また
おまえら
か!!

もう
頭に
きたぞ
ちくしょう
!
あっ
おっ
どうしたんだ
こんなところ
ほって……
キャン
さあ

鳥のかわりにわしが相手になってやる!
ドドドド
ギャギャギャ
うわっ
まて! 銃の水平撃ちは禁止されている!
ドン
うわっ
うるせえ水平も垂直もあるか!
ドギュ
ザッ
ザッ
おやこいつなにやってるんだ?
今度はもぐらでもさがそうというのか?
しらん突然ほりだしたんだ……
ザッ
ザッ

★週刊少年ジャンプ1982年12号

わが青春の桜田門の巻

世界の軍用ライフルシリーズ

HK　93　(西ドイツ)

口径	5.56mm×45
装弾数	20発 30発 40発 100発のドラムマガジ
重量	3650g
全長	920mm

西ドイツの名銃　G－3の小型モデルがこのＨＫ　93である。Ｇ－3の7.62mm弾を5.56mm弾にして軽量化している。

亀有公園前派
マッチ一本 火事一生
ガタッ
ヴォオオム

ふう
さぶい
さぶい
冷えて
きましたね
ところで先輩
部長の
クリスマス
プレゼント
どうします
プレゼントか
………
そうだ
なあ…?
現金が
一番
よろこぶん
じゃないのか

両ちゃんといっしょにしないでよ!
なんだよっ人間 金をもらってやだってのいるかよそうだろ!

そんなのじゃなくて気もちの問題よ
だから金だよ!マイホーム主義者には金が一番だよっ

だれがマイホーム主義なんだ?
あ…いや!別にこっちの話

雪がふりそうですね部長
うむ
わしが巡査になって初めて本庁舎へいった時もこんな寒い日だったな

桜田門の前にある警視庁の庁舎を みて私は 東京都民一千万人を守るため警察官として命を あずけると本庁にちかったのだ

今となっては
その庁舎も
なくなり
新しくなって
しまったが…
あの
茶色の
風格ある姿が
なつかしいよ
しってるよ！
「七人の刑事」で
初めの場面に
うつってた
庁舎でしょ
フランキー堺が
ヨーデルで
歌うやつ！
フランク
永井だ！
あの古い
庁舎が
こわされた時に
わしの青春も
おわりを
つげたのだよ
ほう
なるほど…
すると
新庁舎が
こわされる
時には　命も
おわりを
つげるとか…
先輩！

先輩
部長のプレゼント考えてくださいよ
金以外だろ……
そうだなあ
土地の権利書もいいんじゃないか…
あるいは金！

どうも先輩は発想がちがうなあ…
だめか
うーむ
部長がよろこぶもの…ね
あった！
中川！いいのがあったぞ
おい！
あっ

バカやろう！

あぶないじゃないですかっもう！

こうすんだよぼそぼそ……

えーっそんなのつくるんですか!?

いいだろどうせ　おまえすてるほど金もってるんだから…なっ

大変だぞ今日から始めないと

先輩寮につきましたよ
おうサンキュー

亀有公園前派出所
ただ今ブーム
SS-9000での
しゃげきコンクール
あきバコのうらにひょうてきを書きそれをうちぬくというハードなゲームだ
▼ひょうてき
マッチ一本
火事

なにプレゼントだと!
そうですよさあ早く帰りましょう
ちょっとまて!
それじゃきみたち申しおくりはそういうことでたのんだぞ
はいおつかれさんす!
早くまったくグズなんだから

キュン
キュン
キュンキュン
キュン
スイッ
さあ
どうぞ
部長
どうぞって
こんなところに
飛行機など
駐車禁止じゃ
ないのか?
こまかいこと
いわないで
乗って!
乗って!

今の時間は道路がこんでますこれなら20分でつきますよ
ガチャ
よし発進してくれ!
ラジャー
NAKAGAWA

中川！どこへいくんだいったい
ぼくの家ですよすぐです

まあ 部長 あとでびっくりしないようにね へっへへ

さあ部長こちらです
今度は森の中か！

飛行機のあとは　車…いったいどこなんだここは？
中川んちの庭ですよなん度かきたことあるでしょう

広すぎてさっぱりわからんよ！
本人も迷子になるんですものね

森をぬけたらふつうの道路じゃないか……

おや雪…！

このお堀…なぜかみおぼえあるような気が……

あっあれは……!!

昔の警視庁庁舎じゃないか!

まったく
当時の物と
同じですよ
部長
雪も
人工雪という
キメこまかい
演出!

昭和6年の図面を
元に 200人の設計技師と
延べ10万人の
スタッフで
細部まで再現して
制作しました
おお

まったく
本物の
庁舎だ
ピタ
ピタ

先輩の案で
部長の思い出
だった
この旧庁舎を
クリスマスの
プレゼントに
さしあげます
メリー
クリスマス
部長さん
ひゃっ
ほう!
お…
おまえ
たちは
……
パチ
パチ

こ　こんな物
つくって…
金が　相当
かかった
んじゃ
ないのか?
ほんの
190億ですよ
心配しないで
ください

ひゃ　ひゃく
きゅうじゅう
おくだとォ
………
部長
あっしも
5千円だした
んすよ!
5千円も!

うくむ
………
きゃあ
気絶
しちゃった

む……
ここは?

気が　ついて
よかった
ここは
本庁の
医務室ですよ
だらし
ないなあ
値段を
きいただけで
たおれるとは…

内部まで
そっくりに
つくった
のか!?

いろいろ
かえて
あります
案内
しますよ

外見は同じですが内部は楽しめるようになっています

たとえばここはボウリング場全自動式(フルオートマチック)です

ここは射撃場！クレーもできます
ほう銃まであるのか

中庭はバイクコースになってます
むかいには部長ごのみの茶室も……

ここが
食事コーナー
その他
寝室が
100室……
ほかは
オリジナル
どおりです
すごいな
まるで
ホテルだ
SOCIALIST
PUBLIC IMAGE
ロシア料理
トカレフ
北

部長
これからも
ちょくちょく
あそびに
きますよ
警視庁
庁舎に
ひとりで
住むなんて
ぜいたくな
話だ……
そうじも
大変だな
ロシア料理
トカレフ

そうだ!

この庁舎を
署内のみんなに
開放し
利用して
もらったほうが
いい
うん
そうだね
いいところに
気がついたね

中川
礼を いうよ
きっと みんな
なつかしがって
よろこんで
くれるよ
いやあ
お礼なんて

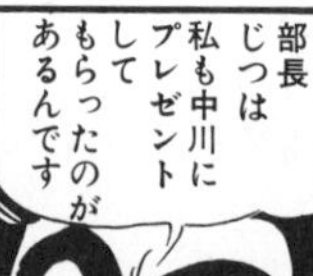
部長
じつは
私も中川に
プレゼント
して
もらったのが
あるんです

ほう
おまえも
か！

この庁舎の
3階に
私のアイデアで
たてた物が
あるんですよ
どれ
どれ

私も ここへ
あそびに
きた時は
利用しようかな
と思って
工事の時
たのんでね…

こ…
これは！

名づけて
警視庁
ゴールデン街
男の天国
ゴールデン通り
ゴールデン通り
サロン
第三科
ブタバコ
BAR
警視
ウフン
いらさい
キャバレー
取りしらべ
8時までの
お客さま
1,500円
ポッキリ！

ここで仲間と
ぶあーっと
さわごうと
思いましてね
ストレス
解消!
明日への
原動力!
これぞ極楽!
たちが
ビスします
アケミ
イクエ
サクン
変態
おしぼり
女子大生に
バイトさせて
もうかりますよ
本庁からも
お客さん
つれてきたりね
ははは
あ…あれ
あんまり
お気に
めしてない
ようで…

神聖な
警視庁庁舎を
なんと
心えてるんだ
このばかものっ
こんなもの
つくるとは
!
ノーパン
定食
すだおお
3000円
ぽっきり
いててて!
じゃ
昼間だけの
営業にするから
健康的に!
キャバレー

★週刊少年ジャンプ1981年52号

安全走行・石頭鉄岩！の巻

各馬ゲートイン
新春特別記念いよいよ始まろうとしています
さあいよいよスタート
このレースはあれそうだ絶対2―6こい！
ゲートがあいた！

きれいなスタートです！

よしいけっ
いいぞ!!
あっ

あっ　突然
レース場内に
車が
あらわれました！
なにごとが
おこったのでしょう
か!!
DATSUN

安全走行・
石頭鉄岩！の巻

そのあとをおうように白バイもあらわれました！
馬の間をぬうように車をおってます！
もはやレースどころではありません中山競馬場あれ馬場になってます
レースは中止です！みなさまさようなら
まさかあの白バイ本田じゃないだろうな………
いったいなんだ

新春かくし芸 ねずみ取り大会

交通課

ばかもの!

競馬場の中まで追跡するとはなにごとだ! 限度が ないのか おまえ!
しかたありませんよ 交通ルールを守らない人は最後までおいつめなきゃ…

うくむ
どうした
ものか
ひとまず
考える
帰って
よし

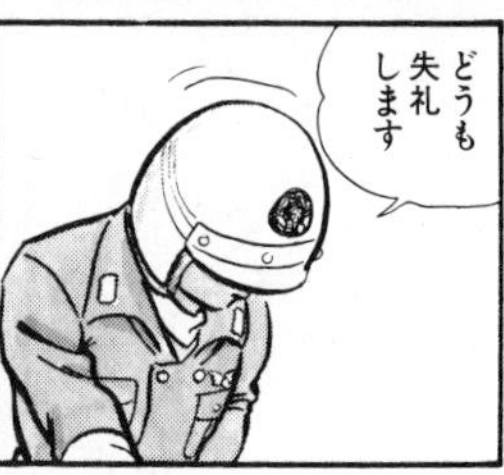
どうも
失礼
します

交通課
交通安全
よっ
どうだった

なんか
えらく
悩んでいた
様子だったよ
考えとくって
………
わしだって
びっくりしたぞ
いきなり
レース場に
とびこんで
きたからな

しかし
気にするな
わしなど
減俸
自宅謹慎
始末書と
ありとあらゆる
ものを
やった!
上には
上が いる
安心しろ!

ゲーム
センター
でもいって
ぶあーっと
さわごうぜ
いこう
いこう
はあ…

警視庁葛飾警察署
ねずみ取り大会
中型免

きのうは結局2千円も使っちゃったよ！

おまえが本田か？
ズイ・・

あっ

課長にいわれて安全運転の指導にきた
ガチャ
ガチャ
えっ安全運転？

近ごろの日本人の交通道徳はゆるしがたいけしからん！
そのためにも警官がみずから市民の鏡となり安全運転をせねばならんわかるか！
安全

それであなたは…
世直し巡査とよばれ35年！安全指導師範七段石頭鉄岩！
人は「走る交通法規」とよぶ！わかるかっおまえ！

みろ！わしの愛車だこれぞ安全の基本にもとづいた車とよべる！
安全運転指導車

かなたの
安全を
よりよく
確認が　できる
大型バック
ミラー

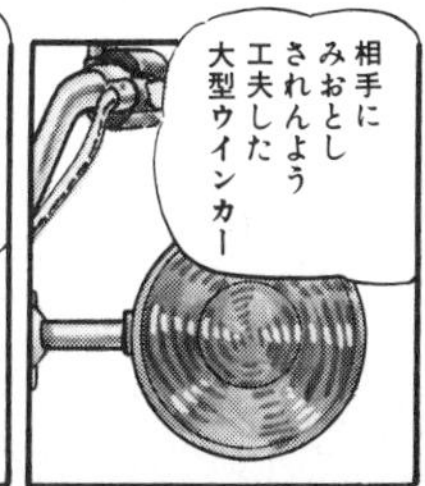
相手に
みおとし
されんよう
工夫した
大型ウインカー

そして
目の直前に
おかれた
60キロまで
しかない
スピード
メーター

なぜ
60キロ
までしか
ないんです
か？
ばかものっ
日本の道路の
最高速は
60キロまで
だろうが！
それ以上は
必要ない！

しかし
高速道路は
80キロで……
高速には
のらん！
だから60で
十分　わかるか

これから
安全運転とは
どういうものか
体で教えて
やる！
自分の
単車で
ついてこい
！

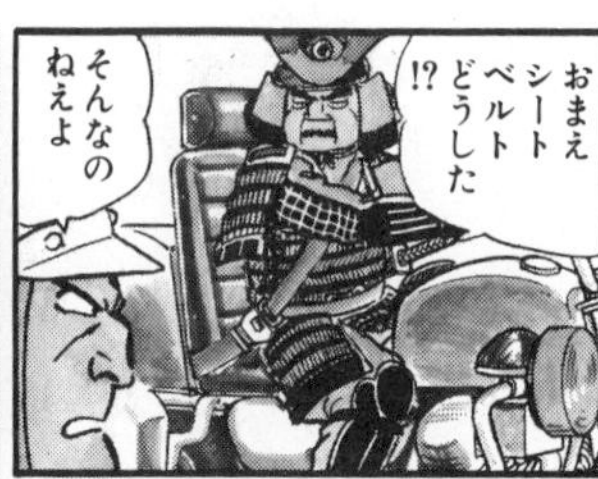
おまえ
シートベルト
どうした
!?
そんなの
ねえよ

ばかもの！
イザという時
命を守るのが
これだ！
明日から
つけとけ
ポ

背すじは90度
首は78度！
ひざは62度！
わかるか！
いいかっ
いくぞ!!

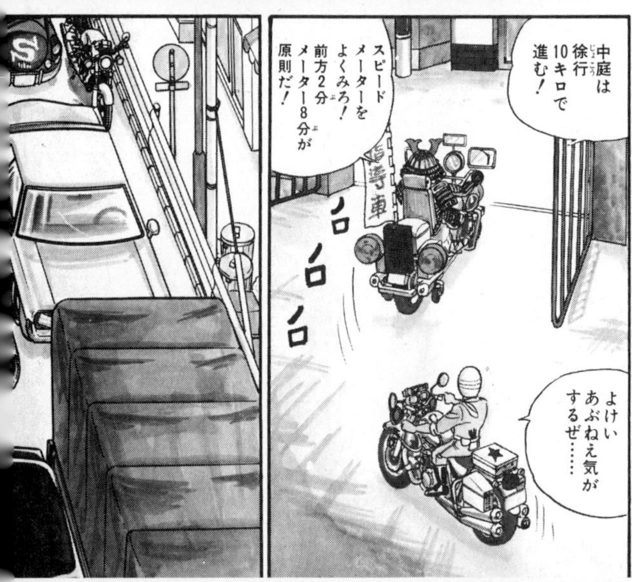
中庭は
徐行
10キロで
進む！
スピード
メーターを
よくみろ！
前方2分
メーター8分が
原則だ！
ノロ
ノロ
ノロ
よけい
あぶねえ気が
するぜ……

なんだよ
渋滞の
時間じゃ
ないはず
だぜ
工事でも
してるの
か…？

師範代さんよ！
ちょっと
おせえんじゃ
ねえかい
車が
つかえてるぜ
ばかものっ
ここは
30キロだ！
みんな30キロで
渋滞は
ありえん！
ドッ
ドッ
ドッ

踏み切りは
停止線で
一時停止！
ドド
ドッ

こらっ
きさま
違反
するなっ
え!?

2センチ
停止線を
ふんどるぞ
さがれーっ
ばかもの！
こまかい
なア！

そして
左右の安全を
しっかりと
確認する

ほかに
レールに
耳を あて
確認する
方法もある
私は これを
すすめたい
ここまで
くると
変態だ

おい
早く
どけて
くれよ!
なんだと
このやろう
!
FIAT

きさまの
ような
ドライバーが
公道秩序を
メチャメチャに
するんだ
ひやっ

短気な
やつは
ドライバーに
むいていない
わかるか!
は…
はい!

どっちが
短気だよ
まったく
あいつが
渋滞の
元だよ

指導の
じゃましおって
ふとどき
千万な
やつだ！
つづきだ！
そして
ローギアで
すみやかに
踏み切りを
通過……
ドドッ
あっ
おい！

ぐずぐず
してたから
踏み切りが
しまっちまったんだよ
う〜む
乱暴な
電車め…
こらっ
前方不注意
安全運転
義務違反
だぞ！
無理だよ
つかまえ
られるかよ

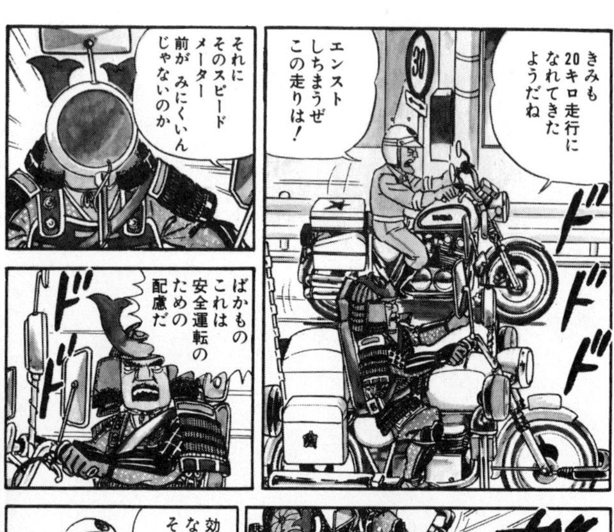
きみも
20キロ走行に
なれてきた
ようだね
30
エンスト
しちまうぜ
この走りは！
ドドドド
それに
そのスピード
メーター
前が みにくいん
じゃないのか
ばかもの
これは
安全運転の
ための
配慮だ
ドドド

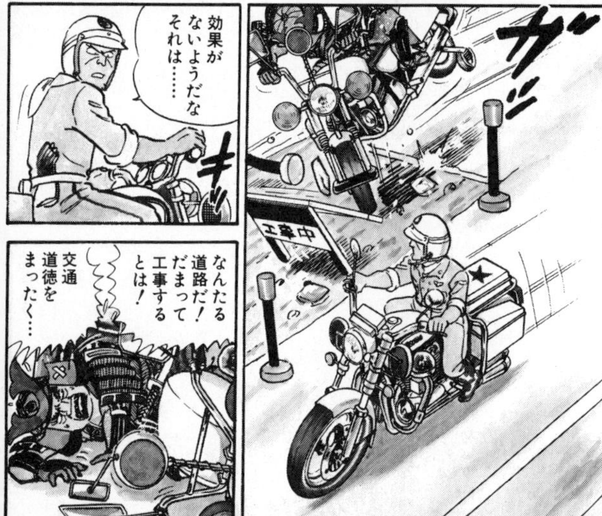
ガッ
工事中
効果が
ないようだな
それは……
キッ
なんたる
道路だ！
だまって
工事する
とは！
交通
道徳を
まったく……

きゃあ
——っ
キキーッ
うっ
○×病院

ヴオオオッ
あっ

やろう
あてにげ
だな!
ドド

まてい
本田!
わしが
先導する
!!
ギラ

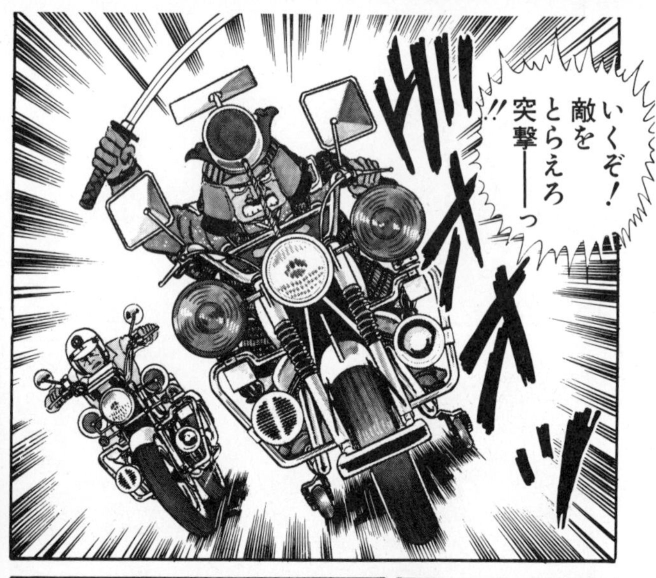
いくぞ!
敵を
とらえろ
突撃——っ!!
ドドオオオッッ

こらっ
そこの者
とまらん
かーっ!!
ドオオオ

6000回転を
さかいに
ジキルとハイドだ
RZみたいな
おっさんだな

いうことが
きけんのか
きさま！
ギラ

ぎょっ

ギギ

大先生
なかなか
やるね！
ふだんは
ウサギのごとく
敵を追う時は
シシのごとくだ
おまえの場合は
年中 シシだ！
ドドド

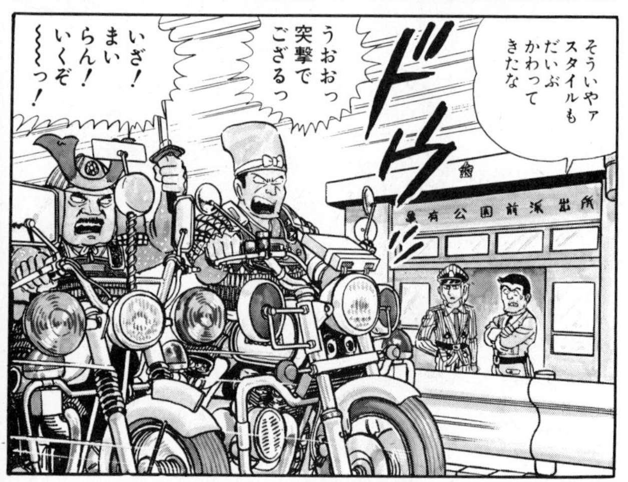

★週刊少年ジャンプ1982年7号

クレイジー
タンク！の巻

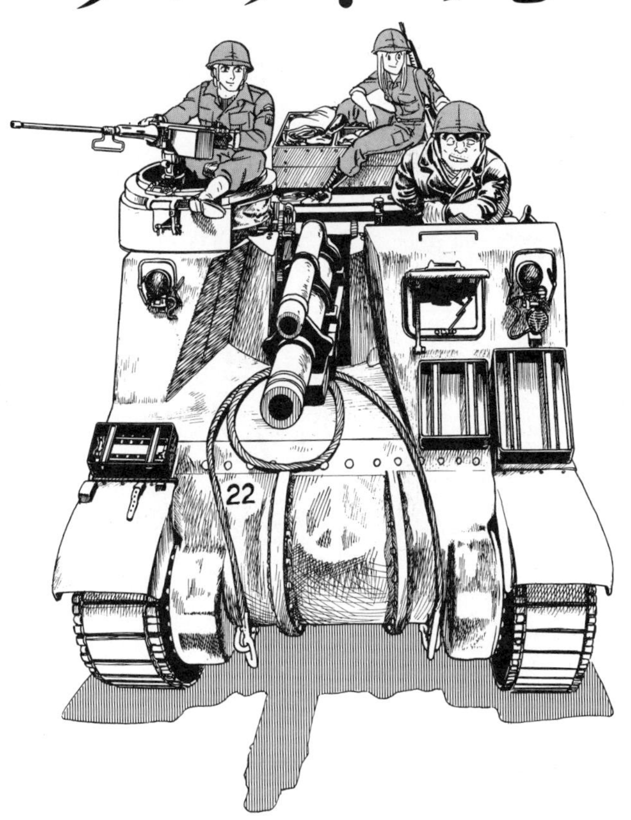

先輩 なにつくってるんです？さっきから
みりゃわかるだろ わしの分身だ

どけ どけ これからセットしにいく！

なんともうす気味悪い物ですね
これが役に立つ！

これをこのようにすわらせればできあがり！

本物の人間みたいだ！
だろ！

さらにおどろくことに！
カセットで声まででるのだ

2×2=4
4×3=12
つまり
1くり
あがって…
3分用の
エンドレス
テープ使用で
はてしなく
計算し続ける
わけよ

今日 ここを
ぬけだす
その間 あれで
ごまかす
あれで
ねえ

もうすぐ
車で
むかえに
くるはず
だぞ
おそいな
あいつ!

なんだ
あの音は
?
ガガガ…

いやあ
おまたせ
おまたせ!
なんだ
こりゃあ

戦車じゃ ないか！ どうしたんだ そんなもの
米軍の 払いさげを 買ったんだ いいだろう

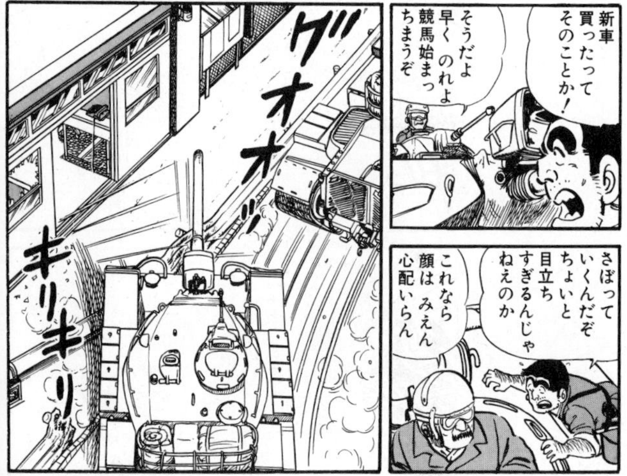
新車 買ったって そのことか！
そうだよ 早く のれよ 競馬始まっ ちまうぞ
さぼって いくんだぞ ちょいと 目立ち すぎるんじゃ ねえのか
これなら 顔は みえん 心配いらん
グオオヅ
キリキリ

ずいぶんせまいな音もうるさい！
多少のことはがまんしろよ高かったぞこれ……
両さん近道しってたろう教えてくれ
ああ……しかしゆれるな

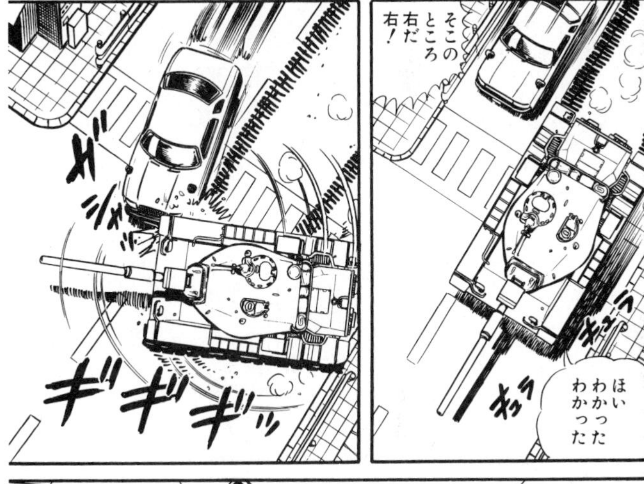
そこのところ右だ右！
ほいわかったわかった
ギギギッ

その場で方向転換できるから楽だぞ
キュラ
キュラ
道路ガタガタになっちまうんじゃねえのかおい………
ガガガ

ちょいと軽油いれていくからな
スタンドならそこの路地はいったところだ
GS
愛情石油
現金160円
ガガガ!
はいいらっしゃい…
ギィ!
マンタンたのむぞ洗車もやっとくれ
スーパー
は…はあ…

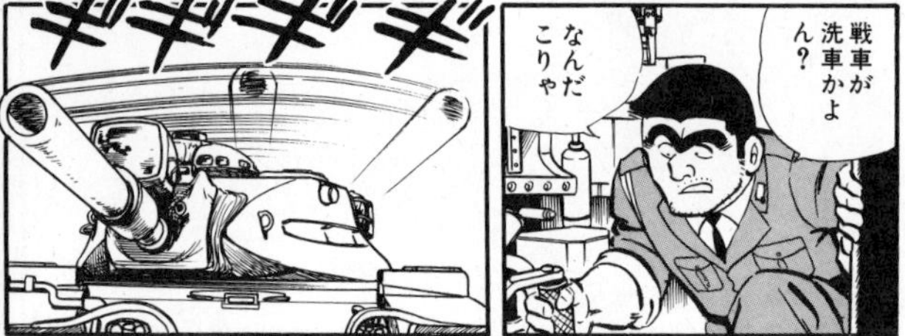
戦車が洗車かよん?
なんだこりゃ
ギギギギ

ガリガリガリ
こらっ
両さん!
動かしちゃ
いかん!
店長
ブラシ
新しいの
ください
なんだ
もう
ダメに
したのか
なにせ
タイヤが
多くて…
P
30分 ¥150
だめだとさ
パーキング
できないって
さ……
そんな
バカな!
そこに
駐車しといても
大丈夫だぞ
レッカー移動を
されそうも
ないし……
いや
交通ルールは
守らなきゃ
いかん
よし
本人が
かけあって
くる
実物を
みせたほうが
早いぞ!
笑ってた
からな

なにが交通ルールだよ！戦車走らせやがって！まったく！

お客さんエイプリルフール4月1日はまだ早いよ
本当だよ自分の目でたしかめてみろ！

あれっ
ほうなるほどそれが重戦車ね
おたく一度病院いったほうがいいよ
両さんが乗っていっちまった！

ガガガガガ
な…なんだ!?
国鉄駅
ガシャ
バキッ
ズシャ

もどる道がわからなくなっちまったよ!
おや!
あっあれは!!
BANK
よい子の銀行
アニキ早く!
ズギュッ
やったぜ1億はかたい!
ひゃっほーっ
あっ!?
あれは!?
ズザァ

おまえら
観念して
でてこい！
うるせえ
どけ！
うわっ
ビシ
ビシ
やろう
もう
ようしゃ
しねえ
ぞ！
うおっ
砲が
こっち
むいたぞ！
本気だ
にげろ
！

うひょー
かいか〜〜〜ん
まともじゃないあいつは!
喫茶シェリダン
COFFEE JEL
営業中
うわっおいかけてきた!
執念深さはヘビ以上よっ!!
ギュラ
ギュラ

いらっしゃ………

ぎょっ

はい はい ちょいと ごめんよ
キュラ
キュラ
ベキッ

メキ
メキ
アニキ こっち こっち

おっと そっちか…………

まいど おさわがせ しております 警視庁の お通りで ございます
ガシャン
バキッ
キュラ

ニューカマロ 82年! お客さまに ピッタリ ですよ
V8 5000C・C
新車発表
NEW
ニューカマロ
前期型の ほうが よかったね

なにを おっしゃいます 前期はイモ これこそ アメ車の きわみ!

ピシ!!
自慢は 鉄板が がんじょうな ことで どんな アクシデント にも強い!

ドン!!
ニュースバル2800Tバールーフ
おっ
新車発表
ニュートランザム

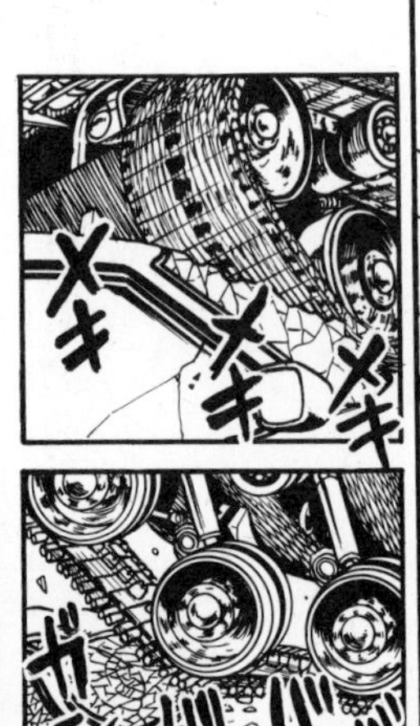
メキメキメキ
ガシャ
バキ
バリバリ

しっけいな
まったく!
ガガガ

お客さま
おケガは
ありません
でしたか?

エンジン
みてやって
ください
丈夫でしょう
どんなもん
ですかね?
1キログラム
あたり
100円だね

本当にしつこいやつだ！
おいバラバラでにげよう！

いい考えだ！よしっ

ガガ

そうはイカのふんどし
ちくしょうだめだ！

富沢家
市村家御結婚式

それではお仲人の春本さまにごあいさつを……
ど…どうもはっはは…
パチパチ

私 物おぼえが 悪いもので… よまさせて 頂きます
はは

えーっ まず さきほど 当館において めでたく 式が おこなわれ ました
ザワ
ザワ

さて 花ムコの 信一さんは 非常に まじめで…
明るく 正しく けっぺき 勉強家で 信頼され 尊敬され

ドカ
まるで 二宮金次郎の ような青年で あります

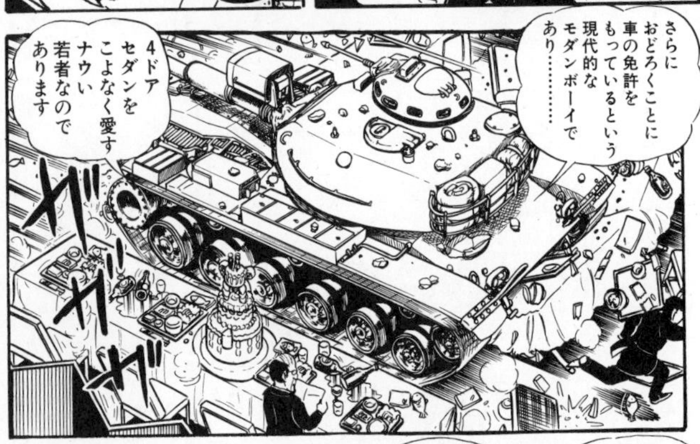
さらに おどろくことに 車の免許を もっているという 現代的な モダンボーイで あり………
4ドア セダンを こよなく愛す ナウい 若者なので あります

花嫁さんも 日本的な かわいい人で あります………
以上で 両人の 紹介を おわります

本日は おいそがしい ところをまことに ありがたく思って おります
以上… ………

ほ…本当にいそがしかったんだなあ……
それにしても早い披露宴だった……
バキ
キュラ
キュラ
もうだめだっアニキつかれたよ
とまったらひき殺されちまうぞ
もうここにたすけを求めるしかない!
ダッ
きたないビルににげこんだな!
キュラ
キュラ

かい
かーん
ドドガガアッ

キュラ
キュラ
キュラ
ガガガガ

どうだ
おいつめ
たぞ！
パコ

あらっ
どこかで
みた顔
が…!?

ひょっ…
ひょっとして
ここ
うちの署
かな？
署長まで
おそろいで
どうも
ごぶさた
してます！

★週刊少年ジャンプ1982年13号

ハローグッバイ！の巻 前編

そんなくだらん漫画みやがって…
最後は結局ハーピーエンドじゃないか…
大人気連載中

いちいちうるさいわねえ

少女漫画の男はみんなオカマだぞ!
一度くらい角がりの男を主人公にしてみろ
いいじゃないの! すきで読んでるんだから

それにこれは少年誌よ!
なにっ

うーむついに少女誌との区別がつかなくなったか…
えらい時代になったもんだよ

よう両津のダンナいるか?
ドドドドゥ

オレにゃわからんとにかくきてくれよ

警視庁 今月のおすすめバイク
RZ 350
GP 400
署長室
バタッ
両津はいります

あっ
お久しぶりね ミスター両津
サンディじゃないか なんでこんなところにいるんだ!?
さっき日本(にほん)についたばかりよ!

去年 両津くんがアメリカ研修にいったのだが今度はCHPから日本の白バイ隊の研修に かの女がきてくれたわけだ

そうかあ よくきたな はっははは
よろしくお願いするわ

そこで案内役として両津巡査長! 交機指導代表として本田巡査 日米警察の親善のためよろしくたのむ!
そりゃもうバッチリ

な! あれ……

おい本田わかってるのか?
あっ…はい!

よろしくお願いします
あは…どうもどうも

かの女のスケジュールはこうなっておる 明日が 交機視察 あさってが本庁の視察 次の日が……
それ 全部 私が ついていくんですか? タレントのマネージャーみたいですね

私 日本がすきで いい機会だと 思ってたのに とても 観光は できないわね
全部で 5日間だろ… かなり ハード スケジュール だからな……

どういうところ 見物したいんだ 東京タワーか?
東京の下町の ムードが すきなの たとえば 浅草とか………

浅草なら オレの 地元だぞ 実家が あるぞ!
えっ 本当?

そうだ 今日 実家に 泊まるか? 見物も すぐ できるぞ
でも ホテルを 予約 してるし……
両津先輩 そりゃ いけない まずいよ
なんで だよ!

ホテルほど 住み心地は よくないが えんりょは いらん!
そう しろよ! なっ

じゃあ お願い するわ!

つくだ煮
よろず屋

よろず屋
ろず屋
キィッ

まあ本当に下町風なす・ま・いね
犬小屋に毛のはえたようなボロ小屋よ……

ところでなんでおまえまで泊まりにくるんだ?
ボクだって交機の代表としてかの女の身を守る義務がある

おう!だれかいねえか!!

なんだ？勘吉じゃないの？どうしたんだい突然………
ちょいと客人をつれてきたんだよ

こんにちはおじゃまします

が…外人さんじゃないかっ!?その人…
しばらくこの家にやっかいになるよサンディえんりょしないであがれよ
はい

とうちゃん勘吉が金髪の人をつれてきたよ
なに？上田馬之助でもきたのか？

どうも失礼します

初めまして ロサンゼルス から きました サンディ です
あっ どうも こりゃ こちらこそ よろしく

勘吉 どういう ことだ こりゃ?
どうも こうも みりゃ わかるだろう

いくら なんでも 外人の女房 ってのは…
ばかっ 早とちり するな!

なるほど アメリカの 警察の人か おまえが いった時 世話になった…
そうだよ

一宿一飯の 義理が あるんだ しっかり たのむ
わしは 外人が 苦手だ……

ずい分 日本語 おじょうずね 礼儀正しいし ねえ……
アメリカで 日本語や お茶 お花の レッスンを しています

おい サンディ もっと くつろげよ きたねえ ところだが えんりょは いらん
余計な お世話だ
そうだよ 本当に きたない ところだけど えんりょは いらないよ
おまえが いうこと ねえだろ!
パカ
いたっ
腹へってん じゃねえか まだ たべて ないんだろ
そうね
今 この 老夫婦に メシを つくらすから まってて くれ テレビでも みてろよ! 巨人の星 やってるぞ
ううっ 兄希の声が きこえる~!
アットホームね 本当に 下町らしいわ
そう だね……
両さんたちは 数少ない 昔の江戸っ子の 生き残り だからね

コロッケとメンチカツでいいかね父ちゃん
ばか！外人さんだぞ日本人とくい物がちがうにきまってんだろ

外人ってなに たべるんだ…？おまえアメリカにいってきたんだろ
オレは日本食しかくわなかったからなあ…そうだな

ハンバーグとパンとコーヒーでいいんじゃねえのか？
母ちゃんそれだ！たのむぞ

あとナイフとフォークがいるな
そんなもんない！

包丁と熊手じゃダメかね父ちゃん
山うばじゃないんだぞ！

すぐ買ってこいよ！日本の恥になるんだぞ
それじゃいってくるよ！

ちょい まちコーヒーもねえんだろ買ってこいよ
どんなのだい？

オレの体験によるとアメリカじゃネスカフェが一番多かったなァ………
あいよ ネスカフェね!

勘吉 さすがアメリカ帰りだなあ
まあな! なんせ一か月もくらしてたからな アメリカ人とかわらんよ

だいたい オヤジは世間しらずだ アメリカがどこにあるかしらんだろ?
台東区からもあまりでんからな

いいか 日本がこんな形にあるだろ…
ここが東京だ… オヤジの家がここらへんな………

アメリカは北海道の先のここにあるよ

ほう けっこう近いな…
飛行機でねていたからよく わからんが1時間くらいでついた…たぶんこのあたりだ…

するとフランスも近いのかな? NHKテレビでやっていたぞ
そう! すぐ 隣! そして ここが 中国 ここが ムー大陸 ここが エチオピアの首都アベベビキラ

よく勉強してるな
さすが警察官だ
今度から地理学者の勘吉さんとよんでくれ

両さん
トイレどこ？
トイレ？この奥だ…

おつりのくる純日本風トイレだからなおちるなよ！
ずいぶんこわいトイレだね

つくだ煮

わあ
ずいぶん
大きな
ハンバーグね

味の方は
わからんが
形だけは
りっぱだろ…
じゃあ
いただき
ます
なにせ
うちの
カカァは
洋食つくった
のは 初めて
だからな

おいっ
じゃまだな
ただでさえ
せまいのに…
ボクは
かの女の
身を守る
義務が
ありますからね
じゃ
特別席を
つくって
やる
まるで
でっち奉公
みたいだ

じ〜〜っ
なにか私の顔についてますか…？

あ…いや！
外人さんてのは目の玉が青くて人形みたいだなと…
やだよこの人は！

オヤジ サンディはリカちゃん人形とちがうんだぞ生きてんだぞ

学問のないあわれなばかオヤジだまっ気にせんでくれ
そんな!!

自分のバカをたなにあげてえらそうにいうな！
あっ

やったな！ちくしょう
先輩！

バカは親の遺伝だ！

やりゃあ
がったな
やるか!
およしよ
ふたりとも!
上等だよ
こいっ!!
やるなら
外へいきなっ
サンディさんに
迷惑だよ!
あっ
いけね!

ノーノー
大丈夫
親子ゲンカ
私の父と兄も
よく します!

ケンカ
するほど
仲が よい
日本も
アメリカも
かわりません

ちぇっ
日本の
恥だよ
オヤジめ!
おたがい
さまだ
くそ!

サンディさん よかったら お風呂 はいり なさいよ
えっ オフロ？

いや アメリカ人には 日本の風呂は あわないよ
よした方が いいんじゃ ないかな？

どうして そういう事に なると 口だすんだ おまえ……
え…
別にその 交機代表 として その……

浴衣 そのカゴに はいってるからね なにか わからないこと あったら 声かけてね
はい どうも ありがとう

ゆっくり あたたまり なさいね！
ガラガラ…

ピシャッ

本当に
………
いい人
ばかりね
………

こうしていると
西部にいる
パパたちを
思いだすわ…

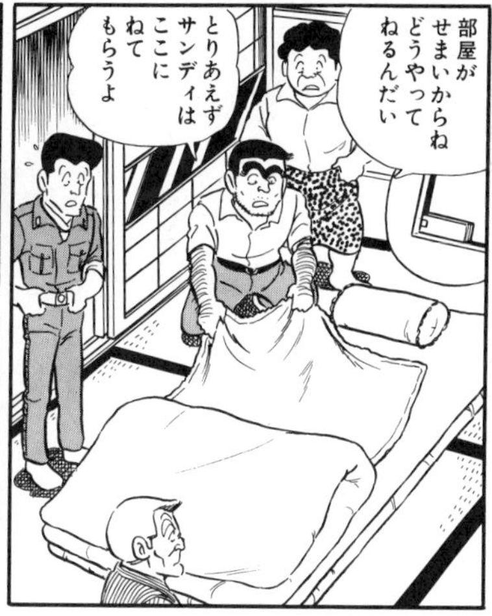
部屋が
せまいからね
どうやって
ねるんだい
とりあえず
サンディは
ここに
ねて
もらうよ

本田
おまえは
オマケだから
台所でねろ
えーっ
そんな!

本田さんも
お客さんだよ
おまえが
玄関で
ねればいいよ
ばかいうなっ
どうして
おれが!?

★週刊少年ジャンプ1982年20号

ハローグッバイ!!
の巻 後編

へっくしょい！
ガバッ
むっ なんだ ここは
やっと目がさめたかい？
ゆうべは大さわぎしてたからね！
グッモーニン
そうだったな
おい朝だっ起きろ！
パコ
いてっ
みかん

あれ サンディも ごはん たべるのか?
はい! 日本食 大丈夫です

おかずも サンディさんに 教わったん だよ ハムなんとか …………
ハムエッグと ベジタブルね

それじゃ 納豆 くうか? ん……
ノー ノー

この おいしさを しらんとは あわれよ! な 本田
ぼくも あまり すきじゃ ありませんよ

浅草見物 したいんだろ わしが 今日 つれていって やろう
今日は だめなん です

あさって オフの日が あるから その日 お願いするわ

そうかい ちぇっ 今日の仕事 休もうと 思ったのに…
まったく そんな 考えだと 店が つぶれるぞ

警視庁葛飾
春の交通安全週間
ここがぼくの担当する白バイ隊…
中庭禁煙
NO SMOKING

白バイ隊は東京都内に5隊あってあと 高速専門の交通警察隊が1隊ね
朝は早いよ第一陣は7時30分ころ出陣だからね

おい外人の女性がきてるぞ
なんだ…見学か？

本田さんだれです…
あっこの人？アメリカから研修にきたCHPの女性隊員

えっ女性で白バイに乗るの!?
カリフォルニアじゃ1000c.c.のバイク乗り回してんだぞ

サンディですよろしくね
すごい日本語がしゃべれる

山本です握手!
オレが先だ!
こらこらおまえら気やすく近づくんじゃないしっしっ

なんだい両さんケチ!
わしはサンディのボディーガードだ!

よかったらバイクの腕をみせてくださいよ
えっ

そうだぜひ!
ワ!
メットかすよ!

ミスター両津
かまわんよみんなの度胆をぬいてやれ!

ババウッ
いよっ かっこいい
さまに なってるね!

先輩! ケガしたら あぶないから やめましょう
安心しろ サンディは 腕ききだ

ブロロ…

ドッドッドッ

なんだ? あんな ノロノロ 走って!

よく みなよ 細い角材の 上を 渡ってる でしょ……

低速で バランスを とるには 相当な腕が 必要さ

スピードをあげたぞ!!
ヴァン
ビィィィィ
豪快な走りだなあ
とても女性とは思えん

フローティングターンだ！
ヴォオム
やるなあかの女！
軽がると乗ってるぞ
ゴオオオッ
うわっ
ギイ
すごい寸前でピタリとめた！

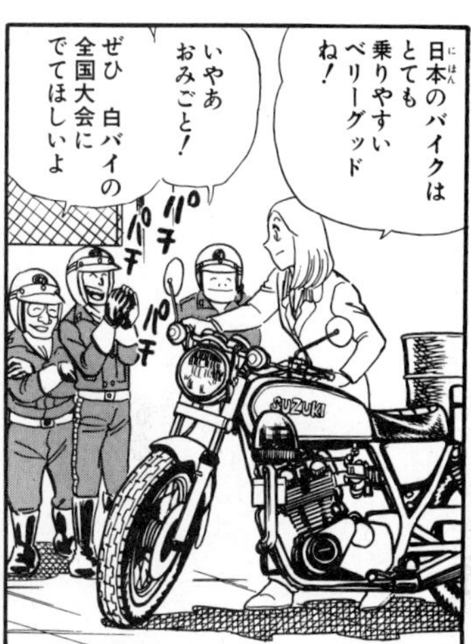
日本のバイクはとても乗りやすいベリーグッドね！
いやあおみごと！
ぜひ白バイの全国大会にでてほしいよ
パチ
パチ
パチ
パチ

おどろきました！すばらしい！
プライベートでもバイクがすきなの

サンディさんみんなで記念写真とらせてください
やろう！

こらっあまりサンディによるなまったく

おい本田おまえもっとこっちこいよ
いえぼくはここで！

カシャ

うおおおおおおお
ギャーーーーーン

ミスター
本田は
バイクに乗ると
人が
かわりますね
ああ
今日は
特にな!

あんたに
いいところ
みせようと
はりきってるぜ………
まあ……

ギャイ
ドドゥッ

グワイ
うわっ

10キロオーバー免許証だせ！
は…はい！はい！

あれだものな
すごいガッツですね

うおおお違反車でてこい！どこだあーっ

うわっ!!

警視庁

うひょーっ つかれた つかれた 足に サンダルずれが できちまった
おかげで 参考に なったわ
今日は 歩きました からね

つかれた時 冷やっこは サッパリして おいしいよ はい
サンキューーッ

明日は いよいよ わしの 出番だな
大丈夫 かよ

仲見世
仲見世
仲見世

仲見世
六区
花やしき
浅草は
オレの庭
みてえな
もんよ
下町っ子ですね！
お父さん

浅草の
銀さんって
よんでくんナ
へっ！

え？
ウンコの
ギンバエ？

浅草アメリカ座
これは
なんです
か？
ストリップ劇…
いや！ その
男のための
見学教室と
いうか………
全ぱつ！

国際劇
豪華実演
映画
よっ 銀(ぎん)さん! すみに おけないいね
マイ ガールフレンド メイドイン USA(ユーエスエー)

ちぇっ オヤジは デートか…… いい年して まったく!

両さん ……
ん? なんだ

じつは ぼく……

そのつらは
サンディに
ほれたって
顔だな…
まっ
するどい
月は
遠くで
みるから
きれい
なんだよ…
わしなぞ
なん度 アポロに
なったか
数えきれん……
しょせん
サンディは
異国の女だ
悪いことは
いわん
あきらめろ
……
……
ブ
佃煮ぐらいしか
みやげが
なくて
悪かったな
いいえ
みんなで
ごちそうに
なります

ん？どうかしたか？
ミスター本田は？

見送りにくるといってたんだぞ
元来照れ屋だからなああいつ……

首都高速
SHUTO EXPWY
空港
A Airport
ブロロロ…

なんだ
キィ

車がめちゃくちゃにならんでるぞ……
なにかあったのか？

おいそこ！もっと丸く！なれ！
は…はい！
ブルルル…
検問ですか？
さあ？さっぱりわかりませんよ………

そこ！一列になってろ 動くとぶっとばすぞ！
げっ…はい
SILVIA
クリスタル

そろそろ時間だな

それじゃ ミスター両津 みなさんによろしく
ああ 気をつけてな

また署の金で研修にいくよ そん時はよろしくな！

Goodbye（グツバイ）！

キイイイイィ
JAPAN AIR LINES

キイイイイ

当機のロサンゼルスまでの所要時間13時間を　予定してます

とうとう日本ともおわかれね……

OH!!（オーッ）
BYE-HONDA

こちら葛飾区亀有公園前派出所⑱(完)

★週刊少年ジャンプ1982年21号

解説エッセイ「メジャー・カルトということ」

みうらじゅん（イラストレーターなど）

この世の中には、大きく分けて『ガロ』か、それ以外の漫画家が存在する。
『ガロ』というのは御存知ない方のために紹介すると、ＫＵＲＡＩ（暗い）、ＫＯＷＡＩ（怖い）、ＫＯＭＵＺＵＫＡＳＨＩＩ（小難しい）の三Ｋに、さらにパワーアップ！ビンボーくささも加わった史上最強（弱？）の漫画雑誌。そのある意味、メジャー感すら漂うマイナー漫画の大権化的存在である。
『ガロ』以外と言ったのは、一般の本屋さんやキヨスクでも簡単に入手出来る漫画誌のこと。親戚の新年会でも、銀座のホステスからでも「どんな漫画、描いてらっしゃるの？」と聞かれても、決して困らない漫画家。
その二大漫画家の大きな違いは、前者が原稿料を手にしない、いやもらっていないところにある。描き手側も〝好きな漫画を描かせてもらってるのだから仕方ない〟という開き直りに似た自己暗示をかけているので、今まで表面的には問題になっていない（昨今、理由は違うが、『ガロ』内でゴタゴタが起り、一時期休刊していたが）。
ボクもその『ガロ』でデビューした。金がもらえない分、好き勝手な漫画を描かせて頂いたのだが、一つ妙な癖をつけてしまった。
それは、〝オレはマイナーなことをやっているんだ！〟という自負。マイナーの意味は、サブカルチャーであり、カルトであり、B級である、と思い込んできた。
要するに一般人に媚びないことで、自分の存在理由を確立しようとしていた。
しかし、何だか釈然としないその思想は、酒が入れば、とかく口論となった。
「A級なんてクソくらえだ！B級バンザイ」
安い飲み屋の片隅で熱く語ってはいるものの、結局、せっかく描いたのだから、もっと多くの人に見てもらいたい。
「いや、分からん奴には見てもらわなくていい！」
「いや、そうじゃないだろ‼」
「何だと‼」
その先は、もうちょっと女の子にモテてもいいんじゃないか？

「モテてぇ！」いや「モテモテにならなきゃ嘘だぁ！」などとヘタレ発言。
ボクは、そんな時『こち亀』に出逢った。うーんと初期、マトモな警察モノであったはずの『こち亀』が、徐々にスタイルを変え、いつの間にか、と――ってもカルトな漫画に成っていたこと。これはマイナー＝カルトだと思い込んでいたボクにとって、ショックなことだった。
〝B級はA級が出来ないけれど、A級はB級も出来る〟
『こち亀』はメジャー誌を使って(それも単行本百冊突破という偉業を成し得て)、それをハッキリ教えてくれた。
そんなある日、友人から電話で、
「おまえが『こち亀』に出とるぞ」
と言われた。
ボクは何のことかよく分からず、本屋に走った。
『こち亀』のコマの中に、ボクが、それも〝バカ・フィギュア評論家〟として登場しているではないか！
これには驚いた！ 目玉が飛び出した！ (ウソ) うれしかった……。
ボクの漫画はメジャー・カルトに成り得なかったが、ボクの存在は、『こち亀』に登場するメジャー・カルトに成っていたこと。これは今後のマイブーム活動に、勇気と希望を与えてくれた。

メジャー・カルトの生みの親、秋本治さん、本当にありがとうございました。

掲載作品は集英社より刊行されたジャンプ・コミックス『こちら葛飾区亀有公園前派出所』第26巻（1983年6月）第27巻（同8月）第28巻（同10月）第29巻（同12月）の中から、著者自らが精選して収録したものです。

集英社文庫〈コミック版〉月新刊 大好評発売中

夢幻の如く 7〈全8巻〉
本宮ひろ志

本能寺で死んだはずの織田信長。彼は奇跡の生還を遂げ、秀吉の前に現れた！　天下統一の夢を超えた信長の新たなる野望とは…!?

とっても！ラッキーマン 7 8〈全8巻〉
ガモウひろし

日本一ツイてない中学生・追手内洋一が、幸運の星から来たラッキーマンと合体すればツイてるヒーローに大変身！宇宙の悪に挑む！

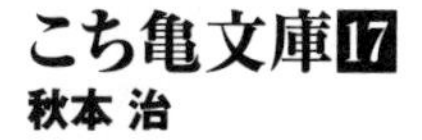

こち亀文庫 17
秋本 治

前人未到のコミックス160巻を突破した長人気作『こち亀』が再び文庫で登場！笑いと興奮、そしてなつかしネタ満載の101巻からを収録！

浅田弘幸作品集2
眠兎〈全2巻〉
浅田弘幸

暗い過去を持つ二人の少年、空木眠兎と小泉時雨がお互いを意識し、ぶつかり合う！　浅田弘幸が描くコミック叙情詩、待望の文庫化!!

BADだねヨシオくん！ 2〈全3巻〉
浅田弘幸

新たなライバル登場！　そしてヨシオの父の謎に迫るバトルＧＰ第２戦スタート!!　読切『しやわせ家族戦士プリチーバニー』も収録

ラブホリック 5〈全5巻〉
宮川匡代

シゲルは食品メーカーで働くOL。口の悪い上司・朝比奈課長には怒られてばかり。でも最近、男として意識し始め!?　新世紀オフィスラブ!

花になれっ！ 9〈全9巻〉
宮城理子

地味な女子高生・ももは、ひょんな事から超イケメンな蘭丸の家で住み込みメイドをする事に。その上、蘭丸の手でキレイに変身して!?

ラブ♥モンスター 1〈全7巻〉
宮城理子

ＳＭ学園に入学したヒヨを待っていたのは、イケメン生徒会長・黒羽をはじめ、個性豊かな妖怪たちで…!?　妖怪ラブ♥ファンタジー

谷川史子初恋読みきり選
ごきげんな日々
谷川史子

誰もが経験したことのある、初めての恋…。あの日に感じた、切なくて甘酸っぱい気持ちを鮮やかに描いた、珠玉の初恋読みきり選。

谷川史子片思い作品集
外はいい天気だよ
谷川史子

付き合っていても距離を感じる恋人同士…、一方通行な想いに悩む彼女など…。様々な片思いのかたちを繊細に綴った、片思い作品集

集英社文庫〈コミック版〉既刊リスト

●秋本 治
自選こち亀コレクション
こちら葛飾区亀有公園前派出所〈全26巻〉
こちら葛飾区亀有公園前派出所ミニ〈全4巻〉
こちら葛飾区亀有公園前派出所・大入袋〈全10巻〉
秋本治傑作集〈上・中・下〉
こち亀文庫①〜⑰

●浅田弘幸
浅田弘幸作品集1 蓮華
浅田弘幸作品集2 眠兎
BADだねヨシオくん！①②

●麻宮騎亜
快傑蒸気探偵団〈全8巻〉

●浅美裕子
WILD HALF〈全10巻〉

●荒木飛呂彦
魔少年ビーティー
バオー来訪者
ジョジョの奇妙な冒険①〜㊿
オインゴとボインゴ兄弟大冒険

●作・三条 陸
画・稲田浩司
監修・堀井雄二
ドラゴンクエスト ダイの大冒険〈全22巻〉

●今泉伸二
空のキャンバス〈全5巻〉

●うすた京介
武士沢レシーブ

●梅澤春人
BØY〈全20巻〉

●江川達也
まじかる☆タルるートくん〈全14巻〉

●えんどコイチ
死神くん〈全8巻〉
ついでにとんちんかん〈全6巻〉

●作・真倉 翔
画・岡野 剛
地獄先生ぬ〜べ〜〈全20巻〉

●荻野 真
孔雀王〈全11巻〉
孔雀王—退魔聖伝—〈全7巻〉
夜叉鴉〈全6巻〉

●奥 浩哉
変〈全9巻〉

●作・写楽麿
画・小畑 健
人形草紙あやつり左近〈全3巻〉

●作・城アラキ
画・甲斐谷忍
監修・堀 賢一
ソムリエ〈全6巻〉

●かずはじめ
MIND ASSASSIN〈全3巻〉
明稜帝梧桐勢十郎〈全6巻〉
かずはじめ作品集1 遊天使
かずはじめ作品集2 Juto
かずはじめ作品集3 0-Game

●桂 正和
ウイングマン〈全7巻〉
超機動員ヴァンダー
プレゼント・フロムLEMON
電影少女〈全9巻〉

●作・鏡 丈二
画・金井たつお
ホールインワン〈全8巻〉

●ガモウひろし
とっても！ラッキーマン〈全8巻〉

●きたがわ翔
19〈NINETEEN〉〈全7巻〉
ホットマン〈全10巻〉
B.B.フィッシュ〈全9巻〉

●桐山光侍
NINKU—忍空—〈全6巻〉

●車田正美
風魔の小次郎〈全6巻〉
男坂〈上・下〉
聖闘士星矢〈全15巻〉
雷鳴のZAJI
あかね色の風

●作・寺島 優
画・小谷憲一
テニスボーイ〈全9巻〉

●許斐 剛
COOL〈全2巻〉

●佐藤 正
燃える！お兄さん〈全12巻〉

●柴田亜美
自由人HERO〈全8巻〉

●作・城アラキ
画・志水三喜郎
監修・堀 賢一
新ソムリエ 瞬のワイン〈全6巻〉

●新沢基栄
3年奇面組〈全4巻〉
ハイスクール！奇面組〈全13巻〉

●鈴木 央
ライジングインパクト〈全10巻〉

●高橋和希
遊☆戯☆王〈全22巻〉

●高橋陽一
キャプテン翼〈全21巻〉
キャプテン翼
—ワールドユース編—〈全12巻〉
キャプテン翼
ROAD TO 2002〈全10巻〉

●高橋よしひろ
エース！〈全6巻〉
銀牙—流れ星 銀—〈全10巻〉
白い戦士ヤマト〈全14巻〉

●武井宏之
仏ゾーン〈全2巻〉

集英社文庫〈コミック版〉
キャプテン翼
全㉑巻大好評発売中
解説エッセイ①岡野雅行
あとがき㉑高橋陽一
高橋陽一
サッカーの天才児、
大空翼の活躍を描いた
壮快サッカーロマン!!

集英社文庫（コミック版）

こちら葛飾区亀有公園前派出所 18

1998年4月22日　第1刷
2009年7月31日　第5刷

定価はカバーに表示してあります。

著　者　秋本　治

発行者　太田富雄

発行所　株式会社　集英社
東京都千代田区一ツ橋2－5－10
〒101-8050
電話　03（3230）6251（編集部）
03（3230）6393（販売部）
03（3230）6080（読者係）

印　刷　図書印刷株式会社

ISBN4-08-617118-X C0179